W9-CKF-783

ДЕТЕКТИВ
КАК
ИСКУССТВО

Детективные романы Татьяны Гармаш-Роффе:

Тайна моего отражения
Шантаж от Версаче
Частный визит в Париж
Голая королева
Шалости нечистой силы
Ведьма для инквизитора
Роль грешницы на бис
Вечная молодость с аукциона
Ангел-телохранитель
Королевский сорняк
Мертвые воды Московского моря
Е.Б.Ж.
13 способов ненавидеть
Уйти нельзя остаться
Расколотый мир
Ведь я еще жива
Черное кружево, алый закат
Ягоды страсти, ягоды смерти
Вторая путеводная звезда
Золотые нити судьбы
Властитель женских душ
Укрыться в облаках
И нет мне прощения
Сердце не обманет, сердце не предаст
Силы небесные, силы земные
Легкое дыхание лжи
Завещание с того света

Завещание с того света

Москва
2016

УДК 821.161.1-312.4
ББК 84(2Рос=Рус)6-44
Г20

Оформление серии *С. Груздева*

Сюжет романа разработан
при участии *Вероники Гармаш*

Постоянный консультант автора:
Г. С. Соболь, частный детектив

Гармаш-Роффе, Татьяна Владимировна.

Г20 Завещание с того света : роман / Татьяна Гармаш-Роффе. — Москва : Издательство «Э», 2016. — 320 с. — (Детектив как искусство. Романы Т. Гармаш-Роффе).

ISBN 978-5-699-87663-1

Академик Донников, создатель «Заповедника Здоровья», где лечатся звезды и политики, погиб в автокатастрофе, оставив дочь Машу сиротой. А спустя месяц голубь приносит к их часовне странное письмо. В нем говорится, что смерть академика не несчастный случай, а убийство и Маша должна найти надежного человека для проведения секретного расследования.

Маша обращается к сыщику Алексею Кисанову. Он в мистику не верит, считая «голубиное письмо» жестоким розыгрышем, но все же берется за дело из сочувствия к девушке. Ему помогает ассистент Игорь, у которого Маша вызывает больше чем простое сочувствие... Беседа с близкими академика неожиданно приподнимает завесу над неприглядными тайнами «Заповедника». Похоже, Донников стал жертвой интриг своих высокопоставленных пациентов... Расследование принимает опасный оборот: теперь кто-то покушается на жизнь Маши. Кто? Кому нужна смерть академика и его дочери?!

УДК 821.161.1-312.4
ББК 84(2Рос=Рус)6-44

ISBN 978-5-699-87663-1

Глава 1

ХРУСТАЛЬНЫЙ КОРАБЛИК И ЁЖКИНА ПОЛЯНА

— Ма-аша-а!

Ненавижу ее голос, ненавижу.

— Маша, я тебя зову, ты глухая?!

Она орет с первого этажа и почему-то уверена, что я обязана ее слышать на втором. Хотя придется ответить, не то она припрется в мою комнату.

— Слышу.

— Ты не сказала мне о своих планах на сегодня!

— Я не обязана перед тобой отчитываться.

— Обязана! Теперь, когда не стало твоего папы, в доме главная я! Ты еще ребенок, я за тебя отвечаю!

— С какой это стати?

— Я твоя мачеха!

— Да иди ты... — пробормотала я себе под нос.

Хочется послать ее подальше и погромче, но я не могу себе этого позволить. На грубость Леночка разразится слезами, а потом примется усиленно доказывать, что она хорошая и главная, а я плохая и у нее в подчинении. Жизнь моя усложнится, а она у меня и без Леночкиных истерик не сахар.

Есть у меня подружка Светка, так у нее что на уме, то и на языке. Я ей завидую: ведь Светка может позволить себе роскошь не думать о потаенных мыслях окружающих людей, об их интересах, которые в любую минуту способны обернуться против интересов твоих или твоей семьи. Светке не нужно угадывать подводные течения, взвешивать свои слова и их последствия — она живет свободно и говорит, как дышит, не задумываясь. Оно понятно, ведь у Светки врагов нет. Из всех возможных достоинств у нее имеется только хороший характер. Но этому почему-то никто не завидует. Завидуют богатству, положению, красоте. Как раз всему тому, что есть у моего папы.

То есть было.

Папа и научил меня с детства взвешивать свои слова. Поэтому хоть я Лене и дерзила (с удовольствием, признаю), но до открытой грубости не доходила.

— Лена, мне через два месяца будет восемнадцать, — потрудилась я прокричать сверху. — Оставь меня в покое, ладно?

— Я поклялась твоему отцу! Что буду опекать тебя!

— Это в какой момент ты поклялась? *На его смертном одре?*

В моем вопросе имелся ядовитый подвох: «смертного одра» судьба нам не подарила. Папа погиб в автокатастрофе, никто при ней не присутствовал, и даже гроб нам выдали закрытый: машина, упав с обрыва, загорелась, а папа... В общем, там остались только угли.

Сарказм я позволила себе, будучи полностью уверенной: Леночку мои слова не ранят и рыданиями она не разразится. Мера ее скорби пропорциональна мере ее любви к папе — и то и другое не глубже его могильной ямы.

— Ма-а-а-ша-а-а-а!

О, этот голос. Беспомощный и истеричный. Папу она подкупила именно своей беспомощностью, а истеричность в пору их жениханий не была заметна — она проявилась лишь тогда, когда Лена пустила корни в нашем доме.

А ведь я папу предупреждала. В принципе, мне всегда импонировала его склонность к благотворительности: когда у тебя очень много всего, надо делиться с ближним, у которого вообще ничего. Так и наш батюшка... — ну, не папа, конечно, а священник — говорит. Грешно делать унитаз из золота, в то время как людям рядом с тобой не на что жратву купить. Тем более что от этого ни твои какашки, ни ты сам золотцем не станете. Поэтому за помощь Леночке, моей бедной тетехе-репетиторше по английскому, я папу не осуждала. А вот за желание жениться на ней — очень даже!

Папа, конечно, меня не послушал. Женился. Она, видать, была уже беременна от него, поскольку родила мальчика через шесть месяцев после свадьбы. А еще через полтора года — девочку. Двоих детишек папуле заделала. (А мне, соответственно, единокровных братика и сестричку.) Только еще через полгода папа совсем перестал интересоваться Леной. И детками, к слову, тоже. А я предупреждала, ну предупреждала же! Говорила я, мудрая: пап, помогай ей, раз тебе хочется, но жениться-то зачем? Жалость — не любовь, на ней отношений не построишь, пап, взаимности не будет, понимаешь? Ты ей — да. Но она тебе — что? Спасибки-спасибочки? А тебе это надо? Пап, после смерти мамы ты будто все ищешь женщину, которая смогла бы стать тебе настоящей подругой, я понимаю, пап, я не ревную, я хочу, чтобы ты был счастлив. Но это не Леночка, неужели ты не видишь?! Она только и может, что кланяться и «спасибкать»!

А папа что-то мычал нечленораздельное в ответ. И готовил свадьбу. Конечно, мне еще пятнадцати в то время не было — кто же послушает малолетку...

— Лен, не беспокойся. У меня сегодня курсы вождения. В Москве, — произнесла я миролюбиво, спускаясь по лестнице.

До сдачи экзаменов оставалось всего четыре занятия с преподом. На машине автошколы, конечно. А в нашем летнем гараже (то есть во дворе под навесом — зимний гараж был под домом) меня уже ждал премиленький «Мини-Купер», моя шоколадка, гнедая лошадка, папин подарок.

— Почему в Москве?! Ты ведь здесь водишь!!!

— Лен, не кричи, я уже стою рядом.

— Я не кричу!

— Ага, только у меня сейчас барабанные перепонки вылетят из ушей, как стекла из окон.

— Ответь на мой вопрос! Зачем тебе в Москву, ты ведь тут занимаешься вождением? — Леночка все-таки сбавила обороты.

— Занималась. Но здесь деревня. Мне надо в городе осваиваться.

— Ты водила в районном центре! Чем тебе не город!

— Лена... — У меня даже голос сел от безнадежности этого разговора. — Я не спрашиваю у тебя разрешения. Я не спорю с тобой. Я тебя ин-фор-ми-ру-ю. То есть довожу до твоего сведения мое решение ехать сегодня в Москву.

Лена довольно долго переваривала мою фразу. Потом лицо ее слегка прояснилось: дошло. И тут же новая туча надвинулась на ее чистый лобик.

— Но погоди, мне сегодня Сережа понадобится!

Сережа — наш шофер. Для нужд женщин, населяющих этот громадный дом. У папы был другой, личный, по имени Борис, хотя папа обожал водить машину сам. Шофера же брал на деловые встречи «для понтов», как он говорил не без иронии.

Боря уволился сразу после смерти моего отца и отправился искать работу в других богатых домах.

— Да на здоровье, мне Сережа не нужен. Я доеду на своей машине до станции, а там сяду на электричку.

— Маша, ты не можешь ездить на электричке!

— Это почему еще?

— Там... Ты знаешь, что там? Ты когда-нибудь ездила?!

— А ты, Лен, ездила?

— Еще как! Поэтому и говорю!

— Так ты вроде жива осталась. Если только я не с привидением разговариваю.

— Не груби мне!!!

— Да бог с тобой, *Леночка*... — Я знаю, мачеху бесит, когда я называю ее уменьшительным именем, как папа. Я же в ее глазах маленькая, ребенок. Не имею права. Обязана уважать.

Да только у меня ни одной причины уважать ее нет.

— Не волнуйся, к вечеру я буду дома. Доступна круглосуточно на мобильном. Чао!

И я направилась к двери.

— Но ты не должна ехать на своей машине до станции! — прокричала мачеха мне в спину. — У тебя ведь еще прав нет! — Запоздалое озарение.

Я почти уверена, Лена отправит кого-нибудь за мной следить. И вовсе не потому, что волнуется. Леночка меня не любит и ничуть обо мне не беспокоится. Беспокоится она о другом: о завещании. Вернее, об отсутствии оного. Прошел почти месяц с того жуткого дня, когда папа покинул нас, но завещание так и не всплыло. Ни в папином кабинете не нашлось (а Леночка, естественно, все ящики там перевернула), ни у парочки нотариусов, с которыми папа по разным причинам имел когда-то дела. И Лена едва ли не каждый день причитает, что она, мать двоих детей, не может жить в неизвестности!

Эту фразу она никогда не развивает до полной ясности, но я знаю, какого рода неизвестность столь сильно ее тревожит: если вдруг завещание обнаружится, то там может оказаться обозначен один-единственный наследник. И с большой вероятностью им окажусь я. Папина любимица.

Мне ее истерики порядком надоели, и я села за чтение законов. После чего утешила мачеху: что бы ни написал папа в завещании (если оно есть), Лена в любом случае унаследует какую-то часть. Закон охраняет права иждивенцев и нетрудоспособных родственников, а их у папы как раз пруд пруди. Одних детей шесть штук: у Леночки двое, плюс я, а еще мои единокровные старшие брат и сестра, они сейчас в Лондоне, учатся там. Кроме того, у нас есть еще одна единокровная сестра Юля, самая старшая, от какой-то женщины, о которой нам ничего не известно, кроме того, что она новорожденного ребенка принесла и оставила папе под дверью в далекие его аспирантские годы. У нашего красавца-папули была бурная молодость, студентки и медсестрички на него вешались — вот и нагулял с какой-то из них девочку. Папа вернул ребеночка матери, уговорился об алиментах, и жизнь потекла дальше.

Девочке той, Юле, теперь под сорок, живет она отдельно от всех нас со своей семьей, и отношения с нами не то чтоб совсем не поддерживает, но редко и весьма официально. Кажется, она не может простить папе, что он не женился на ее матери... Впрочем, не знаю.

К детям следует прибавить и взрослых иждивенцев: бабушку, тетю и саму Лену. А вот Юля, к слову, в когорту папиных нахлебников не входит — она работает в финансовых сферах и, кажется, неплохо зарабатывает. Так что волноваться никому не стоит, денег на всех хватит, объяснила я мачехе. Правда, если завещание существует и наследником указан кто-то один... В этом случае доля Леночки порядком уменьшится — насколько я поняла из бегло прочитанного в Интернете. И мачеха этого боится. Поэтому она непременно пошлет кого-нибудь за мной следить: она почему-то убеждена, что я ищу по нотариальным конторам завещание. И найду его. И тогда...

Собственно, о чем это я? Леночка плохого мне не сделает, — хоть она и истеричка, но не дрянь. Просто будет рыдать день и ночь напролет и подлизываться ко мне, чтобы я ей...

Но нет, нет! Папа если и оставил завещание, то наверняка оговорил в нем хороший пансион для нее и детей! Да и для всех остальных. Иначе быть не может. Мой папа щедр и справедлив.

С другой стороны, я завещание вовсе не ищу. Во-первых, я не хочу сейчас думать о наследстве — у меня такое чувство, будто оно окончательно похоронит папу. Последний ком земли на его гроб бросит... Заняться всем этим однажды придется, конечно, но чем позже, тем лучше. Во-вторых, я думаю, что завещания не существует. Кто же оставляет свои последние распоряжения так, чтобы наследники ничего о них не знали? Это нонсенс.

В общем, мачеха зря волнуется. Но не подозревает об этом. Как всякая истеричка, она не способна рассуждать здраво — она способна лишь трястись от страха, поскольку ее воображение рисует жуткие картины нищеты, в пучину которой ввергнет ее завещание. Она не понимает, что папино великодушие служит ей гарантом. Я даже сомневаюсь, знает ли она смысл слова «великодушие».

...Однако слежка была бы мне совсем некстати. Кого она пошлет и как от него избавиться? Буду думать по дороге. По мере наблюдения за наблюдателем.

Едва я достигла входной двери — а дверь у нас о-го-го: массивная-дубовая-двустворчатая, просто так не распахнешь, только после плотного завтрака! — как сверху раздался хрипловатый голос:

— Маш, ты в Москву? Подожди, мне тоже надо!

Наташа, тетя моя. Папина старшая сестра. Интеллигентка и приживалка. Она пишет статьи о литературе в частности и о культуре в целом — печатается редко, зарабатывает мало, последние пятнадцать лет живет на папином содержании, но гордится собой так, что наши три этажа маловаты для ее завышенной самооценки. В общем-то, она нормальная тетка, если бы не этот гонор. Она считает, что у нее миссия — то ли исправлять нравы, то ли возрождать культуру, то ли... Она и сама не знает, мне кажется. Потому что все ее идеи либо надуманны, либо самоочевидны даже для такого недоросля, как я.

— Наташа (я не зову ее «тетей», ей это не нравится), я тороплюсь на курсы вождения. К тому же добираюсь своим ходом до станции, а там электричкой.

— А что, Сережа отвезти нас не сможет?

— Вопрос к Лене.

— К Лене? Разве шофер не наш общий?

Люблю я русскую интеллигенцию. Сплошной восторг и возвышенность чувств. Шофер у нас никак не общий — это человек, которому платят деньги и который выполняет то, что ему прикажут. Папа держал его для нужд домашних — то есть для нужд всех обитателей, включая Наташу, — за это и платил. Теперь ему платит Лена (папа изначально обеспечил ей «семейный» счет в банке, и вряд ли он близок к истощению), и не факт, что Наташины нужды входят в цену. Но интеллигенция таких земных материй не понимает — она рассуждает «по справедливости». А по справедливости это вот так: раз Наташе нужен шофер, то она должна его получить. За чей счет, ее не волнует. По крайней мере, до тех пор, пока счет не ее.

Я вообще-то тетку люблю. Но временами ее социалистическо-барские замашки раздражают.

— Наташ, папы нет.

— Я знаю! — обиделась моя тетя. — При чем тут?..

— Это он выдавал зарплату Сереже. Теперь ему платит Лена, у нее и спрашивай. Или заплати шоферу сама.

— Шутишь?! Он ведь не такси!

— Он работник. За деньги.

— Но у меня нет средств, чтобы платить за доставку на станцию!

— Тогда поезжай на автобусе.

— Маш, у тебя с головой как вообще? — Тетка смотрит на меня с верхней ступеньки, и даже на таком расстоянии видно, как пылает ее взгляд праведным гневом: ей предложили проехаться на автобусе!

— Ну ладно, тогда попроси Леночку, чтобы она включила твой извоз в Сережины обязанности. Хотя, возможно, ей придется в этом случае повысить оклад шофера... Будет справедливо, если ты тоже вложишься.

Наташа вылупилась на меня так, будто я заговорила с ней на марсианском языке. Признаю: я издевалась над своей тетей. Не со зла, я просто хотела научить ее смотреть на вещи реально. Ну, не научить — это безнадежно, — а, пожалуй, проучить. Пора бы ей вспомнить, что булки не на деревьях растут.

— А ты на чем до станции будешь добираться? — Тетка все пыталась найти наиболее экономное для себя решение.

— На своей машине.

— Когда едешь?

— Прямо сейчас.

— Подожди меня!

Тетка у меня богемная, она любит писать статьи по ночам. Встает она, соответственно, поздно и сейчас еще в халате. А я просыпаюсь в шесть — меня к десяти вечера просто задувает в кровать — и мой день давно начался.

— И сколько тебя ждать?

— За часик управлюсь, — заявила она и тут же

спохватилась, увидев выражение моего лица. — Ну, не знаю, дай мне хотя бы полчаса... — В ее интонации зазвучали просительные нотки.

Наташа, хитрая лиса, адепт социального равенства и свального бескорыстия, почуяла, что получит отпор, поскольку ждать мне ее отнюдь не улыбалось, и начала заискивать.

— Извини, Наташ. Я тороплюсь. В следующий раз предупреди меня заранее, ладно? Тогда я смогу составить свое расписание с учетом твоих интересов, — произнесла я суховато и выбежала из дома. С огромным облегчением, надо признать.

На самом деле у меня была совсем другая причина, чтобы избавиться от Наташи: у меня имелись планы, о которых ей, как и другим, знать не следовало. Во-первых, я намеревалась ехать в Москву на своей машине, а вовсе не на электричке. А во-вторых, мне нужно было до отъезда заглянуть кое-куда.

Это «кое-куда» находилось совсем недалеко, на нашей же необъятной территории. Папа купил когда-то огромный участок на Истре, на нем можно было бы, пожалуй, небольшую деревеньку разместить. Я уверена, что никто из обитателей дома, кроме меня, толком не знал, что находится в наших угодьях. Населявшие дом женщины не имели пристрастия к пешим прогулкам; если они и страдали любопытством, то ограничивалось оно делами ближнего, а вовсе не исследованием белых пятен на карте нашего участка. Я же облазила его еще в раннем детстве, и каждый закоулок мне отлично знаком.

Я быстро вывела своего гнедого «Купера» из-под навеса и покинула двор. Лена хоть и не шибко умна, но и не полная дура — она не пошлет Сережу за мной хвостом, ведь я его сразу вычислю. Скорее всего, она, поверив моему вранью, отправит с ним кого-нибудь (у нас еще няня, домработница, повариха, прачка, бабушкина сиделка — так что выбор имеется) на станцию окольными путями поджидать меня, а там сесть в электричку и следовать за мной дальше по Москве, чтобы понять, чем я там занимаюсь. Но человеку, кем бы он ни был, придется долго-долго ждать меня на станции. И уйти оттуда несолоно хлебавши. Поскольку мы с «Купером» обойдемся без всякой электрички.

Пока же я, убедившись в том, что ворота за мной плотно закрылись и никто меня со двора не видит — ворота у нас цельнометаллические, глухие, — обогнула наш длиннющий забор и поставила машину с обратной стороны участка, там, где начинается густой лес. Давным-давно, лет в восемь, я проделала в ограде лаз — точнее, это мои друзья-мальчишки из ближней деревни раздвинули прутья ломиком: я обещала им устроить экскурсию по нашей территории, когда папа уедет (вряд ли б он согласился пустить такую босую ораву в свои владения). Горящие от нетерпения пацаны совместными усилиями проделали «черный ход» в заповедник. За прошедшие десять лет эту дыру никто из взрослых так и не нашел, к тому же кусты вдоль ограды буйно разрослись, скрыв за собой погнутые прутья.

...Помню, как папа эти кусты сажал. Вернее, не он, а четверо мужчин, прибывших вместе с саженцами на четырех грузовиках. Каждому причиталось посадить живую изгородь по одной стороне участка, и четыре человека копошились с четырех сторон от дома в течение нескольких дней. Все это время моросил дождь, земля была тяжелой и скользкой, а мужчины — перепачканными. Глядя на них в окошко своей комнаты, я весело повторяла скороговорку: «Четыре черненьких чумазеньких чертенка»...

Мама тогда была жива. Она смеялась, когда я, шепелявя и картавя (отчего и работал со мной логопед, уча произносить скороговорки), показывала ручонкой на садовников и лепетала: «Щетыле щельниньки щумазеньки щельтенка...» Когда с посадками было покончено и тоненькие прутики ощетинились вдоль ограды, будто кошачьи усы, «чертенки» уехали, зато приехали другие, пока еще чистенькие, и перекопали весь двор. Они строили домики для тех, кто будет заниматься цветами и садом, оранжерею, сараи, еще какието подсобные помещения — и, как ни странно, их тоже было четверо. Дожди кончились, и я бегала во двор смотреть, как подрастает изо дня в день кирпичная кладка...

Я закрыла машину и стала искать лаз. Давно я им не пользовалась, не сразу и вспомнила, в каком именно месте он находится, тем более что зелень плотно облепила забор. Но для меня было принципиально важно, чтобы никто из домашних не увидел, как я шастаю по нашей территории, и не стал проявлять любопытство, — а для этого следовало воспользоваться лазом, иначе меня могли заметить из окон дома. Так что пришлось мне набраться терпения.

Наконец я обнаружила искривленные прутья, протиснулась. За прошедшие годы конфигурация моего тела несколько изменилась, но лаз оказался достаточно широким... Ну да, тот мальчишка, который орудовал ломиком, был рослым и плотным — под себя дыру и проделывал.

Я немножко посидела в кустах, осмотрелась: все тихо, как обычно. Потом ползком — вверху ветки сплелись, через них теперь не продраться — выбралась на наш участок.

Первым делом я двинулась к «Хрустальному кораблику» — так я с детства называла оранжерею. Ее высокая стеклянная крыша, состоящая из множества граней, сверкала на солнце хрусталем, а когда эти грани открывали (в хорошую погоду), то казалось, что ветер надувает паруса и сейчас кораблик тронется и заскользит по зеленой глади.

На этом кораблике несет бессменную вахту супружеская пара, Инга и Леонид, им немного за сорок. Я с ними давно дружу, с тех пор как папа их нанял. Детей у них по каким-то причинам нет, зато они обожают цветы и посвящают себя этой страсти целиком. Ну, и еще они обожают меня. Я им что-то вроде «двоюродной» дочки.

В нашей оранжерее они выращивают цветы для дома (хотя я уверена, что ни Леночка, ни тетя Наташа не представляют, откуда у нас в доме берутся свежие букеты в вазах, обновляемые каждые три дня) и еще на продажу, для себя. Кроме того, в теплое время года они занимаются всеми клумбами вокруг дома.

У папы с ними своеобразный договор. Он им за садоводство-цветоводство не платит — зато они живут в домике на нашем участке бесплатно, и оранжерея им отдана практически в безраздельное пользование со всем ее оборудованием, с автоматическим поливом и подсветкой, с обогревом и подкормкой. Так что они имеют бизнес, фактически оплаченный папой. Причем на участке работа сезонная и не каждый день — а в оранжерее они выращивают свой живой товар круглый год, поставляя цветы в магазины Москвы. Короче, это взаимовыгодный альянс. А мне так и вовсе с ними повезло: именно в оранжерее, во влажной, паркой атмосфере тропиков, в ярких красках и сумасшедших запахах, я пряталась от папы, когда на него обижалась или когда не хотела делать уроки. Инга с Леонидом меня никогда не выдавали.

Я подбежала к ним и чмокнула по очереди в щеки:

— Доброе утро!

— Машечка, радость наша! — загудел Леонид. — Доброе утро! Каким ветром тебя к нам занесло?

Ну да, с тех пор как я окончила школу, я почти не заглядываю к ним...

— Цветов тебе собрать? — с готовностью предложила Инга, стягивая длинные резиновые перчатки зеленого цвета.

— Нет, спасибо. Я просто зашла вас проведать... Ну и еще спросить хочу: не знаете, тут в округе есть голубятня?

— Голубятня? Хм. — Леонид задумался. — Не знаю. Не видел.

Инга отрицательно покачала кудрявой головой, украшенной веселыми рожками, — она завязывала косынку на манер пятидесятых, концами кверху, и они торчали над ее каштановыми волосами то ли как рожки, то ли как ушки. Очень мило.

Жаль, что не видели. Надеюсь, это правда. Во всяком случае, выглядели они искренними. Вряд ли *послание* — это их рук дело...

Я почему-то надеялась на их подсказку. Теперь придется самой объезжать окрестности. А не хотелось бы: в ближней деревне меня узнают наверняка, хотя я лет с десяти туда не наведывалась. Я выросла, деревенское «босоногое детство» меня больше не увлекало, а мои исследовательские наклонности перешли в другую плоскость. Или, правильнее сказать, в другие плоскости.

Мои бывшие друзья тоже выросли, но узнать меня им не составит труда: я мало изменилась. И начнутся расспросы, как живешь, да чем занимаешься, да как это твой папа разбился, пьяный был небось...

— А зачем тебе? — поинтересовалась Инга.

— Да надоело эсэмэски писать, хочу на голубиную почту перейти! — засмеялась я. — Ладно, все, я побежала. Я вас люблю, вы ведь знаете, да?

И я направилась в ту часть, которую папа именовал «парком». Поместье наше делилось на три смысловые части: слева, если смотреть от дома, цветники, епархия Инги с Леонидом (включая оранжерею и их домик); справа от них располагались сад и огород, откуда к нам прибывали на стол фрукты-овощи (а также варенья-соленья), — и этим заведовал Васильич, деревенский старожил и отличный садовод. У него тоже был свой домик, но он больше жил в деревне, а к нам приходил в сезон ежедневно. А за цветниками и огородами раскинулся «парк». Здесь росли, в отличие от сада с фруктовыми деревьями, дикие елки и березы — проще говоря, это был кусок первородного леса, прекрасно существовавшего тут до того, как стать нашей собственностью.

Впрочем, он и сейчас прекрасно существует. Белки так же прыгают по деревьям, зайцы так же драпают, завидев человека или лису (иногда к нам и рыжие забредают!). И там, в «парке», находится наша домашняя часовня, куда я и держала путь.

Васильича нигде не было видно, но его б я не стала спрашивать про голубятни. Он наверняка лучше Инги с Леонидом знает, есть ли они тут поблизости, но человек он малоразговорчивый, отвечает всегда односложно, смотрит исподлобья — так, что сразу пропадает охота с ним общаться. Я его с детства побаиваюсь, если честно, хотя его фруктами-ягодами всегда лакомилась охотно, не говоря уж о вареньях. Как-то я забралась в малинник, объелась ягод и перепачкала платье — слышала, что мама меня звала, но оторваться от малины не могла. Так Васильич подошел, взял меня под мышки, вытащил из малинника и, не говоря ни слова, отнес домой. Я сама себе казалась куклой, беспомощно повисшей в руках Карабаса-Барабаса... Даже сейчас вспоминать страшновато. Хотя теперь я его, конечно, не боюсь. Теперь я понимаю: существуют на свете такие необщительные люди, — это не значит, что они плохие. У них часто бывают золотые руки, а иногда и золотые сердца...

Впрочем, точно я этого не знаю.

Вскоре между деревьями мелькнула деревянная чешуйчатая крыша, как в Кижах, с небольшой чешуйчатой же луковкой на вершине. История появления часовни на нашем участке достойна кисти художника... карикатуриста. Вот как дело было: Леночка, выйдя за моего папулю, решила, что она отныне и присно попала в касту бомонда. А бомонд ходит в церкви, где усердно просит отпущения грехов. Грехов много — ведь бомондом не становятся от красоты души. Нет, в эту касту попадают благодаря большим деньгам, а большие деньги редко делаются с помощью ума и таланта (мой папа как раз счастливое исключение) — по большей части за ними стоят кровь и обман. Но подонок тоже человек, и ему хочется забыть о том, что он подонок. Естественно, подонки понесли в церкви свои нечистые деньги, получая взамен прощение господне. По крайней мере, так они думают.

Любое массовое явление создает тенденцию, а тенденция — это младшая сестра моды. Тетеньки же на моду страшно падки. И вот они уже толпятся в церкви рядом со своими грешными мужчинами. И вот они уже осуждают тех, кто не ходит. Ныне «без серпа и молота не покажешься в свете». (Это Маяковский издевнулся — помните, где про «мурло мещанина».) Все приложимо к нашему времени, лишь одежки немного изменились.

Итак, Леночка, выйдя за моего папу, решила, что попала в бомонд, и затребовала еженедельных походов в одну популярную в Москве церковь. Папе, однако, было влом таскаться в Москву каждое воскресенье: он и без того проводил в городе полную рабочую неделю и в выходные желал отдыхать на природе. Мне кажется, он отлично понимал, что Лена просто жаждет «показаться в свете», — но сделал вид, будто искренне верит в ее религиозность. И решил построить часовню прямо на нашем участке. Мол, дорогая, бог тут будет жить прямо у тебя под бочком, никуда ездить не придется для общения с ним.

Но Леночке, конечно, никакой бог не нужен — ей бомонд... Ну, понятно. А с ним облом вышел.

И даже молодой симпатичный священник, которого папуля нанял, Леночку не вдохновил. Я еще тогда папу спросила: ты зачем этого манекенщика сюда привел? Хочешь, чтобы я попадьей стала? А папа мне в ответ: думаю, что твои многочисленные таланты сгодятся на нечто большее, чем стирка рясы, — и щелкнул меня по носу.

А я его в лоб... не щелкнула, разумеется, я его в лоб спросила:

— Тогда зачем ты такого красавчика нанял?

Папа только пожал плечами чуть смущенно и заявил, что не детского ума это дело и для вундеркиндов (это я, понятно) исключений не делается. И тут меня осенило.

— Что, все так запущено? Ты хочешь ее совсем сбагрить?

«Ее» — это Лену.

— Откуда такой цинизм, сударыня! — Папа дурашливо воздел руки к небу.

— Знамо, откуда: гены сработали. Ну, и воспитание, само собой, — проговорила я ангельским голоском диккенсовской сиротки. — Меня, сударь, папа воспитывал, а он у меня медик. Людей видит с изнанки, иллюзий не питает... — и я показала ему язык.

— Эх, вот она, дочерняя неблагодарность!

Мы еще потом долго шутили, поддевая друг друга и хохоча. Я обожала такие моменты нашего единения, совместного веселья и взаимопонимания. Конечно, папа циником не был — хотя романтиком его тоже не назовешь. Он просто смотрел на вещи реально. Люди, которые предпочитают смотреть на жизнь сквозь «очки» — любой расцветки, не только розовые, — являлись, с точки зрения моего отца, либо невеждами, либо ханжами. Лишь один вид невежества он считал простительным: наивность. То есть незнание вещей по причине юного возраста. А невежд и ханжей он презирал. Хотя презрения своего никому не показывал: со всеми был любезен и приветлив. Как-то я его спросила: а не получается ли, что ты лицемеришь?

— Смотря из чего исходить. Если считать правильным прямо высказывать людям все, что ты о них думаешь, — то да, я лицемерю. Но я не вижу ни нравственной, ни практической необходимости говорить им правду. Тем более что никто моего мнения о себе не спрашивает. Все эти люди имеют весьма высокую самооценку и всеми силами убеждают себя, что ее заслужили. И с какой, спрашивается, стати мне браться за бесполезный и опасный труд ее опровергать?

Вот такие у нас случались разговоры. Может, поэтому мне частенько кажется, что в моем юном возрасте я слишком много знаю. Иногда это утомительно. Впрочем, часто помогает.

Правильной была моя догадка, нет ли, но Леночка на красавчика не запала. Она вообще, мне кажется, асексуальна. Небось симулировала оргазм, пока папу заарканивала, — а на самом деле ей ни папа, ни секс вообще не нужны. У нее лишь от бомонда оргазм случается.

И с тех вот пор стоит на нашем участке часовня, и в нее иногда приходит отец Нил (в миру Олег), никем не востребованный красавец. Лена туда заглядывает только по большим православным праздникам, и я не знаю, если честно, что Олег там делает, в часовне, в другие дни.

Но сегодня он был нужен мне.

— Привет, Олег!

— Отец Нил, — привычно поправил меня священник.

— Ты мне не отец, — привычно огрызнулась я. — А Нил — это река в Египте.

У нас с первого дня знакомства такие отношения. Вернее, на самом деле мы относимся друг к другу с симпатией и даже с некоторой долей... Впрочем, я лучше эту «некоторую долю» не стану определять. Когда у молодого парня такие потрясающие карие глаза с длиннющими ресницами, это опасно. Начнешь вот так, с определений, — а там раз, и уже рясу стираешь.

— У тебя похвальные знания в географии, — добродушно поддел меня он, мягко улыбнувшись, и поскреб свой заросший подбородок снизу вверх, я точно так своего котика чешу.

— Что, сильно превосходят твои? — съехидничала я.

— К батюшке положено на «вы» обращаться.

— Ничего, обойдешься. Бог терпел и тебе велел.

Я знаю, Олег к моим выходкам относится снисходительно, и потому себе их позволяю. Если бы он обижался, я бы, конечно, не стала, не такая уж я вредная.

— И да вознаградит он меня за мою стойкость! — развел руки в стороны священник, усмехаясь.

— Аминь, — отозвалась я. — Слушай, Олег, а сегодня... Сегодня ничего?

— Ты имеешь в виду...

— Ну да, *послание*! — нетерпеливо перебила я.

— Нет. Почему ты думаешь, что должно быть еще одно?

— Не думаю. Просто спросила.

— Мне кажется, в первом письме твой отец все ясно сформулировал. Вряд ли он захочет что-то к этому добавить. К тому же писать с того света нелегко. Господь ему помог, без сомнения.

Теперь отец Нил был серьезен. Я тоже.

— Тебе удалось найти кого-нибудь?

— Держи, — он протянул мне листок, вырванный из блокнота, — здесь и адрес, и телефон, и даже «мыло». Как мне сказали, он лучший в своем деле.

— А кто он такой?

— Частный детектив. Раньше на Петровке работал опером.

— Как ты его нашел?

— У хороших друзей спросил.

— О письме никому не рассказывал?

— Разумеется. Как договорились.

— Ладно. Я пойду.

— Погоди... Поставь свечку, Маша, за отца.

Немного поколебавшись, я проследовала за Олегом к миниатюрному иконостасу — часовенка-то была крошечной, метров двадцать квадратных, не больше, думаю. Справа от иконостаса горели свечи.

— Кто их зажигает? — поинтересовалась я.

— Иногда домашние заходят, и цветоводы наши, и Васильич. Случается, Сережа заглядывает.

— Ишь ты...

— Я тоже ставлю каждый день. И молюсь за твоего папу.

— Олег... А вдруг он все-таки жив, а?

— Душа его, вне всякого сомнения, жива.

— Я в другом смысле. В прямом.

— В этом твоя беда, Маша. Ты все думаешь, что душа исчезает вместе с телом... Но душа твоего отца рядом с тобой, поверь мне.

— Может, и рядом, но души письма не пишут!

— Так ведь папа тебе в письме объяснил...

— Ладно, я помню, — проговорила я, ставя свечку в гнездо и точку в бесплодном разговоре. — Пока, Олег, я пошла. Дела ждут.

— Постой.

— Чего тебе?

— Перекрещу тебя, дуреху...

— Я умная.

— Конечно. Умная дуреха. Иди, и да хранит тебя Господь...

Олег осенил меня крестом, а потом поцеловал в лоб. Ну прям точно *батюшка*...

Обратно к лазу я решила пройти парком, позади «Хрустального кораблика» и владений Васильича, дабы избежать новых встреч и вопросов. Я брела вдоль задней части ограды, задумавшись, и не заметила, как вышла на «Ёжкину поляну». Когда-то, еще малявкой, я впервые в жизни увидела тут семейство ежиков: двух больших, взрослых, и четыре колючих шарика ежат. Они потешно хрюкали и копошились в зарослях травы. Я стремглав бросилась в дом и притащила на поляну папу, чтобы он сфотографировал их... Снимки я храню до сих пор — снимки на глянцевой бумаге, отпечатанные с фотопленки по технологии прошлого века... Папа тогда же обнаружил на полянке грибы, огромные яркие подосиновики — это были первые собранные мною грибы! Я задыхалась от восторга. Мы отнесли их на кухню, нашей поварихе Любе, и на ужин ели чудесные, душистые ломти подосиновиков, громадные, как стейки, с жареной картошкой...

Потом я часто туда наведывалась, на поляну, и в грибной сезон всегда, из года в год, находила там подосиновики. А иногда мы с папой сбегали ото всех и устраивали там пикник. Расстеленное старое одеяло, походная сумка-холодильник, где вареные яйца, колбаска, помидорчики, соль — и термос с горячим сладким чаем... Нет таких слов, чтобы передать, как я любила наши с папой пикники на Ёжкиной поляне. Как любила наше с ним на двоих уединение, разговоры о главном...

Но сейчас поляна застала меня врасплох. Нежданные слезы вскипели на моих глазах. «Папа, — пробормотала я, — папа, папочка...»

Хватаясь за ствол большой раздвоенной березы, моей любимицы, я опустилась на землю. Горе нахлынуло так внезапно и так сильно, что ноги больше не держали меня. Как же так, папа, ведь ты обещал никогда не покидать меня, ни при каких обстоятельствах! Всегда быть рядом! Охранять, помогать, беседовать со мной, папа!

...Тогда он произнес это так горячо, так убежденно, что я мгновенно поверила: даже в самом плохом случае — то есть в случае смерти — папа будет со мною рядом.

Этот разговор произошел незадолго до автокатастрофы, меньше чем за месяц, — будто он предчувствовал свою гибель... Не помню, как зашла речь, — кажется, я упомянула маму, а там слово за слово... Папа в загробную жизнь не верил, он был убежденным атеистом. Но у него имелась какая-то своя теория. Он ее не рассказывал — он просто тогда сказал, что всякая мистика есть следствие невежества человечества, пока еще не способного полностью научно объяснить мир. Но если мы не можем установить факты — это не значит, что их нет!

— Так душа после смерти существует? — спросила я в лоб. — Я что-то не пойму твои объяснения...

— Я же сказал, Машутка: человечество пока не располагает знаниями и не может объяснить целый ряд явлений.

— Вроде привидений? Так их существование не доказано. Может, это просто вранье и подделки.

— Может, — задумчиво откликнулся папа. — А знаешь, Бальзак считал, что у человека существует несколько невидимых оболочек помимо одной видимой.

— Думаешь, он прав?

— Думаю, что в этой идее что-то есть... Смотри: если у тебя есть зеркало, то есть и твое отражение. А если зеркала нет — где твое отражение?

— Не знаю, — пожала я плечами, — его нет.

— Или ты его просто не видишь? Потому что зеркало — это лишь *инструмент*, дающий тебе возможность увидеть себя. Но если такого инструмента не нашлось под рукой, это не значит, что и отражения нет.

— *Отражение*... как сказать... Это что-то вроде реакции на тебя?

— Да, — кивнул папа. — И если у тебя нет зеркала, из этого вовсе не следует, что на тебя больше никто не реагирует. В конце концов, никто не в состоянии видеть себя сам. Не изобрети человечество амальгаму, применяемую при изготовлении зеркал, мы бы никогда толком не узнали, как выглядим. Но все, кто извне, они смотрят на нас: люди, звери, звезды... И они нас видят. Они на нас реагируют. То есть в них мы тоже отражаемся.

— То есть, если зеркала нет, это еще не зна...

— Если ты больше себя не видишь, это не значит, что тебя нет, — подхватил папа.

— А если меня не видят другие? Ни люди, ни звери, ни звезды?

— С уверенностью можно утверждать лишь то, что у них нет *инструмента*, — прошептал он мне на ухо.

...Сказать по правде, я так и не поняла папину теорию. Наверное, он верил, что его «отражение» будет как-то существовать после его смерти... И общаться со мной. Но пока что папа никак не обнаружил себя, если не считать письма. Я попрежнему одна и мне плохо. Это Лене я вкручиваю, что мне уже почти восемнадцать, — но чувствую я себя на самом деле маленькой девочкой, папиной дочкой, которой больше всего на свете хочется сейчас прийти к нему, ткнуться лбом ему в грудь и почувствовать на своих плечах спасательный круг его рук...

Может, *послание* — первая проба? Может, папа уже нашел (или вот-вот найдет) тот осколок «зеркала», который воплотит его отражение? Сделает видимым для меня? Нашел же он способ надиктовать письмо!

Хотя из-за него только хуже. Страшно.

Или письмо подбросил кто-то другой? Но зачем?!

У меня голова шла кругом, я совсем запуталась.

Все, пора ехать в Москву. Для того я туда и собралась на самом деле: чтобы встретиться с тем, кто поможет мне все распутать. Во всяком случае, я очень на это надеюсь.

Я поднялась с земли, отряхнула подол платья, затем выбралась с нашей территории и уселась в свой шоколадный «Мини-Купер». Прежде чем тронуться в путь, я включила смартфон и завела в строку поиска фамилию «Кисанов», записанную на листке Олега.

Глава 2

ГОЛУБЬ И ЛУНАТИК

Услышав по домофону девичий голосок, Игорь нажал на кнопку, открывающую дверь подъезда, и лишь после этого заглянул в кабинет шефа.

— Кис, тут какая-то пацанка к тебе рвется. Я ее пустил, ничего?

— А если б и «чего»? Она ведь уже на лифте поднимается, — проворчал, снимая ноги со стола, шеф, он же частный детектив Алексей Кисанов. Он же Кис, но исключительно для своих.

— Ну да...

— Клиенты должны приходить по предварительной записи, — вредничал детектив.

Он не любил, когда его отрывали, — да и кто ж любит? — а занят он был важным делом: искал тур на выходные. Хотел развлечь жену, Александру, милым путешествием в милый город — в Прагу там, или в Вену, или еще куда... Что-то в последнее время Саша погрузилась в апатию. Видимо, сказывалась усталость — дети малые да работа, и все нон-стоп, — и Алексей решил, что следует хотя бы на пару дней оторвать ее от всего и всех, проветрить голову.

— Знаю. Но я не смог отказать, — пожал плечами Игорь. — Вдруг у ребенка беда? Помнишь, как Михаська к тебе пришел, просил найти маму?[1]

Алексей Кисанов сделал строгое лицо.

— Не смог отказать ты, а отдуваться мне? Фигушки. Принимай ее сам.

— Я?

— У нас тут кто-то другой сидит под столом?

— Ну ладно... Кис, извини, но вообще-то правило это дурацкое. То есть, конечно, предварительная запись помогает планировать время и всякое такое, но надо делать исключения. Вдруг у человека срочность?

— Со срочностью в полицию бегут. А к нам... Мне послышалось или звонят в дверь?

Игорь — симпатичный молодой человек, по должности ассистент, но по факту уже коллега детектива — отправился открывать. Кис встал на пороге своего кабинета таким образом, чтобы видеть происходящее, оставаясь почти незаметным в сумраке большого коридора.

— Здравствуйте, Алексей Андреевич! — услышал он с порога.

Алексеем Андреевичем был он, Кис. Что указывалось в разных справочниках, по которым его находили новые клиенты. Если они, конечно, не обращались к нему по рекомендации предыдущих клиентов.

— Я его помощник, — обаятельно улыбнулся Игорь.

Этот парень вообще чертовски обаятелен, что

[1] Подробно об этом читайте в романе Т. Гармаш-Роффе «Вторая путеводная звезда».

2 - 383

действует на всех женщин от девяти до девяноста лет безотказно.

— Да? А можно мне... Я хотела бы обратиться к детективу Кисанову.

Игорь почему-то не зажег свет в прихожей, и Кис не мог толком рассмотреть посетительницу. Но голос у нее и в самом деле был детским. Рост, кстати, тоже. На месте Игоря детектив и сам не решился бы ей попенять на неурочный визит.

— Алексей Андреевич, он, э-э-э... — Игорь обернулся: знал, что детектив наблюдает за сценой.

— Вы ко мне? — ступил Алексей в коридор. — Игорь, зажги свет, пожалуйста.

Свет вспыхнул, и Алексей увидел перед собой удивительное существо. Множество мелких косичек оплетали русую головку так, что она напоминала корзинку. Из-под корзинки на него доверчиво смотрели два огромных светло-голубых глаза — такие рисуют в мультиках на личике какой-нибудь сказочной Машеньки-Дашеньки. Дальше привлекал внимание большой серый мешок... ну, наверное, это мода такая: платье, как мешок? Будто сверху вырезали дырку для шеи и по бокам для рук, а на талии мешок стягивал тонкий черный пояс. И, несмотря на жару, на ногах сказочной девушки были короткие черные сапоги. Правда, с вырезом для пальчиков — крохотных таких, беззащитных пальчиков, жалобно выглядывавших наружу из жесткого пекла замши. На ноготках мини-пальчиков сиял беспощадно-красный лак, такого же цвета помада на круглом кукольном ротике. Но взрослая, даже вызывающая, помада — ею никого не удивишь в наши дни.

Макияж давно перестал быть женской привилегией, ныне красятся и дети, и мужчины... Зато угадывающийся под серым мешком бюстик категорически прибавлял девочке возраста, и детектив решил, что ей уж никак не меньше пятнадцати, а то и шестнадцати...

Восемнадцать. Ей оказалось восемнадцать. Ну почти, через два месяца исполнится. «Взрослая совсем», — горько вздохнула мультяшная Машенька.

Да ладно, какие восемнадцать? Персонажи мультиков не имеют права взрослеть!

— Вы не против, я взгляну на ваш паспорт?

— Не верите? Держите, вот, — она протянула паспорт Алексею. — Внешность бывает обманчива, вы не знали? — усмехнулась деточка.

На этот раз детектив посмотрел на нее повнимательнее. Глазки-то умные, между прочим. И проказливые.

Кис заглянул в паспорт. Ей действительно скоро восемнадцать, но самое удивительное, что девчушку действительно звали Машей — Марией Евгеньевной Донниковой.

— Приятно познакомиться, Мария.

— Маша. Зовите меня Машей, ладно?

— Проходите в кабинет, — пригласил детектив. — Надеюсь, медведи за вами не увязались.

— Что? А, нет, — смех колокольчиком, — у них в это время сиеста!

«Чувство юмора у деточки имеется, зачет», — подумал Кис.

— Итак, — спросил он, когда девчушка угнездилась в большом кожаном кресле для посетителей. — Чем могу быть вам полезен?

— А он вам — полезен?

Маша мотнула головкой-корзинкой в сторону Игоря, вошедшего в кабинет вслед за ними и усевшегося чуть в стороне от стола шефа.

— Вы что-то имеете против?

— Имею. Это в высшей степени конфиденциальный разговор.

Ишь ты, как деточка умеет выражаться, отметил Кис.

Игорю не нужно было повторять: у него уже приличный опыт, и он знал, что даже если потом он будет заниматься делом клиента, то на первой встрече оного клиента может переклинить в присутствии второго человека. В смысле, зажим психологический может случиться. Многим бывает трудно доверить свой секрет — но если уж решаются, то одному. *Одним человеком* был всегда шеф — в силу чего Игорю нередко выпадала участь третьего лишнего.

Не проронив ни слова, он поднялся и вышел из кабинета. Маша проводила его взглядом, и в этот момент — Кис готов был поклясться! — детские голубые глазенки приобрели отблеск закаленной стали. Два острых лезвия, искусно замаскированных в золотистом бархате ненакрашенных ресниц.

— Месяц назад мой папа погиб в автокатастрофе, — заговорила девушка, едва закрылась за Игорем дверь. — Машина упала с обрыва и загорелась. Остались одни угольки, — добавила она сдержанно.

— Примите мои соболезнования. Представляю, как вам тяжело... — тепло произнес Алексей: пусть девчушка не желала показывать свои чувства, но смерть родного человека всегда страшна, а уж в столь юном возрасте...

— Не представляете, — отрезала Маша. — Вы не были ребенком, который потерял единственного родителя?

— Нет.

— Значит, и представить не можете.

Ишь ты. Крутая деточка. Не робеет в разговоре с незнакомым взрослым.

— Я был ребенком, который потерял сразу обоих родителей.

Маша вскинула внимательные глаза, будто проверяя, не лжет ли детектив. Затем немного смутилась и, опустив головку-корзинку, поизучала несколько мгновений свои коленки, обтянутые серой мешковиной.

— В таком случае вам будет... — проговорила она и запнулась. — Я хотела сказать: «будет проще понять мои чувства», но зачем вам это? Вы сыщик, работаете за деньги, и понимание клиентов в гонорар не входит. Так что я лучше перейду к делу, — закончила деточка уже вполне светским тоном.

Безапелляционность — свидетельство умственной недостаточности, по аналогии с сердечной: вроде интеллект и работает, но как-то не особо хорошо. Впрочем, в юные годы данная черта вполне извинительна: умственная недостаточность имеет объяснение в виде отсутствия опыта размышлений.

Тем не менее Алексей счел правильным расставить акценты незамедлительно.

— Минуточку. Договоримся сразу: мне и только мне решать, что входит в круг моих профессиональных обязанностей, равно как и в круг интересов. И вы постараетесь больше не приписывать мне ваши собственные представления о вещах. Вы не сочинительница — а я не ваш персонаж. Я ясно выразился?

Было заметно, что Маша удивилась, — похоже, что не привыкла к подобному тону.

— Вполне ясно, — неожиданно покладисто произнесла она. — Папа всегда говорил, что я излишне самоуверенна, а это не признак ума.

Кис хотел было выразить солидарность с мнением Машиного папы, но воздержался: разговор о деле, практически не начавшись, стал уходить в сторону.

— Вернемся к сути, — произнес он. — Что привело вас ко мне?

— Как я сказала, мой папа погиб... А вчера я получила от него письмо. Его принес голубь. В нашу часовню.

Чего-чего? Голубь? В часовню? Письмо от умершего человека? *С того света, что ли, письмо?!*

— Хм...

— Ценное замечание.

— О, вы меня не знаете. Когда начнете рассказывать обстоятельно, тогда пойдут замечания *бесценные*!

Беглая вежливая улыбка — мол, шутку оценила — и снова внимательный, оценивающий взгляд светлых глаз. Совсем не детский. Детектив сталкивался с такими людьми — всегда настороже, они обдумывают и взвешивают каждую реплику собеседника, — но никогда еще в подобном амплуа он не видел ребенка.

— Хорошо, давайте обстоятельно. У нас большой участок на Истре. И у нас есть своя часовня.

Папа построил ее для Лены, моей мачехи. Она как бы религиозна.

— *Как бы*? Это паразит в речи или вы намеренно так выразились?

— В моей речи нет паразитов, я грамотна и хорошо образована, — отважно заявила деточка. — Просто я сомневаюсь, что вера у Лены настоящая... Но это отношения к делу не имеет.

— Вы сказали, что потеряли *единственного* родителя. Мама ваша...

— Умерла. Я еще маленькой была. Теперь у меня мачеха. Она не злая, как в сказке, не волнуйтесь, она просто придурочная... Так вот, в нашу часовню приезжает время от времени совершать службу священник, отец Нил, в миру Олег. Именно он нашел письмо от папы. Вернее, не нашел, а увидел голубя, сидевшего на спинке скамейки. Перед часовней разбит небольшой цветник и стоит скамейка. Ну, чтобы в хорошую погоду посидеть, отдохнуть, полюбоваться цветами... На шее у голубя висел на шнурке маленький квадратик из плотной бумаги. Отец Нил удивился, подошел поближе. Он думал, что голубь испугается и улетит, но тот сидел спокойно, будто ждал. И когда отец Нил протянул руку, чтобы снять шнурок, то голубь позволил ему это сделать. Квадратик же оказался свернутым в несколько раз письмом... Вот, прочитайте, — и Маша протянула детективу сложенный листок с дырочкой, через которую проходил шнурок.

Алексей привычно надел перчатки, развернул его, разгладил.

Лист был кривовато обрезан, но понятно, что формат А4 для принтера. Из знаков препинания в тексте были только запятые. Гласил он следующее:

«лунатик запишет и передаст, это важно, маша, это был не несчастный случай, меня убили, найди надежного человека, пусть расследует тайно, никому не говори, люблю, с тобой, папа».

Дырочки для шнурка пробили несколько букв, но смысла текст не утратил. Если там вообще смысл был, конечно. Алексей изо всех сил постарался, чтобы на его лице не нарисовалась удивленно-скептическая улыбка.

— *Лунатик*?

— Я поняла так, что папа связался с каким-то лунатиком и надиктовал ему текст... Вы не верите, да? — проницательно посмотрела на детектива Маша.

Естественно, Кис не верил! Но ему было неловко разочаровывать девочку.

— Нет, почему... — неубедительно отозвался он. — Но мне кажется, что с этим лучше обратиться к... ммм... экстрасенсу или как там их называют...

— Зачем? — нахмурилась Маша.

— Ну, он сможет, наверное, вызвать душу вашего отца и поговорить с ним... — Алексею тут же стало стыдно за свои слова, потому что в них не было ни капли искренности. Но что делать, других не нашлось.

— Папа просит расследовать свою смерть, а не устроить спиритический сеанс!

— Да, но он смог бы... ммм... рассказать... видимо... на сеансе... что именно случилось...

— Вы не верите, что души могут существовать после смерти? Или вы в лунатика не верите?

— Насчет загробной жизни я, сказать по правде, не в курсе. *Оттуда* вроде бы никто не возвращался, и свидетельств нет. А вот лунатизм — это медицинский диагноз, то есть научный факт. Честно говоря, на месте вашего отца я бы тоже выбрал лунатика для общения. Он спит, но действует, а потом ничего не помнит. Очень удобно. Правда, остается открытым вопрос с голубем...

Маша прищурилась. Глазки снова сверкнули сталью.

— Насмехаетесь?

— Нет. Я растерян.

На этот раз Алексей сказал чистую правду.

— Не хотите заниматься моим делом?

Кис не хотел. Его аналитический ум отрицал всякую мистику, а лицемерить он не любил, прикидываться не желал. Но что-то в этой Маше было такое... Мать она потеряла ребенком, теперь отец погиб. Девочка хорохорится, старается быть взрослой, сильной. И даже стальной проблеск в ее глазах — это не от хорошей жизни, это попытка защитить детскую душу свою от боли, от зла... Ну, как-то так. Александра, любимая жена и по совместительству журналистка, сумела бы сформулировать намного-много-много лучше, чем он. Но как ни формулируй, а результат вот каков: Алексей девочку жалел. И отказаться не мог. При всей бредовости ее просьбы.

— Я хочу тебе помочь...

Он и не заметил, как перешел на «ты».

— *Но*... тут ведь есть «но», верно?

— Не совсем. Скорее продолжение.

— И какое?

— Если не встревать с вопросами, то узнаешь быстрее.

— Извините.

— От желания помочь до решения взяться...

— Всего один шаг?

— Маша!

Девушка шутливо закрыла себе рот двумя ладонями — мол, молчу-молчу.

— ...есть мостик. И называется он *информация*. Так что приступим. Для начала расскажи обо всех, кто в доме живет и кто регулярно приходит...

Они проговорили с полчаса. Алексей задавал уточняющие вопросы — хотел прикинуть, кто из них мог устроить представление с письмом «с того света». Это должен быть кто-то из своих: Автор Письма знает о часовне и о священнике. Если, конечно, последний сам все и не придумал. Ему было бы проще всех: голубя никто не видел, так что батюшка мог сам напечатать этот листок и продеть в него шнурок, а потом выдать байку а-ля «благая весть» с явлением голубя.

Маша, впрочем, ни на мгновение не поставила под сомнение правдивость слов священника, хотя отзывалась о нем с некоторой иронией. Однако ирония относилась, видимо, к чему-то другому, к каким-то их отношениям, тогда как в историю с голубем и письмом девушка поверила... Иначе б она не пришла к частному детективу.

Поскольку ей было пора отправляться на урок вождения, они условились продолжить беседу после. Она позвонит, как только освободится, а Кис пока поразмыслит над услышанным, чтобы принять окончательное решение. В принципе, он уже знал, что от дела не откажется, — но пока еще не знал: от какого именно? От расследования причин смерти Машиного отца? Именно с этим девушка пришла к нему, именно об этом просит. Но

Алексею необходимо прежде всего разобраться с письмом. Найти того, кто девочку столь безжалостно разыгрывает...

Разыгрывает?

Или *подставляет*?

Что за «Тень отца Гамлета» явилась к девушке, чтобы обрушить на ее голову правду (якобы) об убийстве? И почему — кем бы ни был Автор Письма — он хочет, чтобы Маша организовала расследование оного убийства? Девочка, которой даже восемнадцати нет! Взвалить на нее подобный груз — это жестоко...

Поначалу, пока девушка отвечала на вопросы Алексея, у него крутилось в мозгу подозрение, что за письмом стоит сам отец, Евгений Дмитриевич Донников, который не погиб, а устроил представление с исчезновением. Технически такое организовать непросто, но возможно, примеры есть. И понятно, чтобы пойти на подобное, он должен был очень и очень опасаться за свою жизнь.

Но чем больше говорил детектив с Машенькой, тем больше убеждался, что дружба отца и дочери была на редкость сильной. Не мог Евгений Дмитриевич так жестоко обойтись с Машей. Сначала уверить ее в своей гибели, а потом нанести еще один удар, сказав, что это было убийством...

Нет, ни один нормальный отец не поступил бы так.

Значит, кто-то другой хочет, чтобы обстоятельства автокатастрофы были расследованы заново. Кем бы он ни был, Автор Письма уверен, что Донников стал жертвой убийцы. При этом оный Автор Письма отчего-то прячется за спину девушки. Боится выйти на сцену сам.

Но возможно, что за всем этим кроется совсем иной мотив. К примеру, никакого убийства не было, Автор Письма лжет, но ему зачем-то надо, чтобы Маша подняла волну...

Или еще хуже: спектакль с письмом устроен с целью дестабилизировать девушку. Не похоже, конечно, что это легкая задача, — она отлично владеет собой, контролирует не только себя, но и собеседника... Однако случается, что под видимостью «железных нервов» скрывается ранимая душа и нестабильная психика...

Зачем и кому такое могло понадобиться? Месть за что-то? Ненависть? Кто-то из ее друзей? Подруга-соперница или отвергнутый поклонник?

В общем, задачка ниче се так.

Кис рассказал о деле Игорю, надеясь, что по ходу изложения истории, как это нередко бывает, его осенит идейка-другая, — или хоть ассистент дельную мысль подаст. Но нет, дельные мысли явно решили обойти их обоих стороной. Игорь только руками развел и произнес: «Бред».

Кис был вынужден с ним согласиться.

Угнездившись в большом кожаном кресле перед письменным столом, ноги на стол — любимая «мыслительная» поза детектива, — Алексей принялся перебирать факты.

Итак, священник, голубь, письмо, надиктованное «душой отца» Маши некоему лунатику... Здесь все неправда — или только часть? Священник лгал насчет голубя? Весьма похоже. Иначе почему письмо не принесли к порогу или не прислали почтой? Зачем понадобился голубь с его религиозной коннотацией «благой вести»? Или все же не лгал? Если он сказал правду — значит, кто-то использовал его в своей игре.

Если он солгал — значит, сам в этой игре замешан. Но не признается. Так что говорить с ним рано.

Не знаешь, с чего и начать...

С голубей! — решил Кис.

Он нашел в Интернете координаты Клуба голубеводов. Позвонил, договорился о встрече и поехал на Мичуринский проспект, где клуб обитал.

Голубеводы улыбались его вопросам об устройстве голубиной почты снисходительно. Им казалось невероятным, что человек не знает столь элементарные вещи: голубь вовсе не доставляет послание по адресу получателя — он же не почтальон! — он просто летит в свою голубятню. Люди научились использовать уникальную способность этих птиц безошибочно находить дорогу домой. Значит, чтобы передать письмо, прирученных голубей, прошедших курс специальных тренировок, завозили к отправителю, там к птице прикрепляли послание и выпускали. А адресат находился по, так сказать, месту жительства голубя, куда последний, оказавшись на свободе, немедленно направлялся...

Все это, конечно, *элементарно*, спору нет, господа голубеводы, — да только в свете данного факта все мгновенно стало еще сложнее, размышлял Алексей, выйдя из клуба. Ясно, что отец Нил сказал Маше неправду, потому что не мог к ним прилететь голубь с письмом! Поскольку у них нет голубятни. Иначе бы девушка о ней упомянула. Выходит, священник в сговоре с Автором Письма? Или все-таки сам его написал?

Надо с батюшкой встретиться. Припереть к стенке информацией от голубеводов и посмотреть, как он будет выкручиваться.

Придется ехать в имение Донниковых. Надо будет с Машенькой на этот счет переговорить, но потом. А сейчас нужно обдумать историю с Лунатиком. Или, скорее, очередную чушь.

Алексей знал, что лунатизм — он же сомнамбулизм — это заболевание (или врожденное отклонение?), при котором спящий человек способен встать, двигаться, совершать многие действия, в том числе и сложные. Причем в этот момент лунатику, видимо, что-то снится, и он действует в соответствии со сновидением. Помнится, был такой случай в судебной практике, вошедший в анналы психиатрии: лунатик во сне убил собственную мать кочергой. Ему снилось, что на него напала женщина с ножом, — тогда как в это время мать, хорошо зная болезнь своего сына, пыталась удержать его от прикосновения к горячей печи... Если допустить, что лунатику приснился текст письма Донникова и он одновременно ощутил потребность его набрать на клавиатуре и распечатать на принтере, — то вполне мог это сделать. Вопрос: с какой стати подобный сон приснился бы лунатику?

Про вселение в него души Машиного отца не будем даже начинать. Ненаучной фантастикой детектив не увлекался. Тогда остается только одно допущение, при котором Кис согласен данную гипотезу хоть как-то рассматривать (а не выбросить ее немедленно на помойку с пометкой «Вранье»): наш Лунатик подвергся сильному влиянию. Возможно даже гипнозу, с помощью которого его запрограммировали на такое действие.

Или, на худой конец, его подкупили...

Однако зачем Автору Письма так напрягаться? Искать Лунатика, гипнотизировать его (или подкупать) — когда никто, никто не сможет проверить правдивость его утверждения?! Ну, предположим, что некий сыщик, которого наймет Машенька (как просит ее Автор Письма), найдет Лунатика в ближнем окружении Донникова. Но лунатики не помнят свои сны! Они не в курсе, что делали, когда...

Стоп. Лунатики-то не в курсе, это точно. Но если наш живет в семье... То близкие могли заметить его странные действия... И засвидетельствуют: мол, да, наш Лунатик прошлой ночью что-то распечатал...

Допустим. Но каким же образом Лунатик сумел бы нацепить письмо на голубя? Да при этом отправить его на участок Донниковых?!

Да никаким.

Эй, боженька, за что ты ко мне так немилостив? Это ж надо, такую задачку подкинуть...

Ладно, хватит стенать. Нужно попытаться найти Лунатика. Как знать, может, Автор Письма приходил к нему и кто-то его видел? А там уж, в зависимости от результатов, будем (или нет) изучать тонкости взаимоотношений лунатиков с голубиной почтой. В конце концов, голубевод тоже может страдать сомнамбулизмом, почему нет...

Кис тут же, сидя в машине, обзвонил нескольких приятелей-врачей. Проблемами лунатизма занимаются неврологи, но, как назло, таких специалистов среди контактов детектива не имелось.

Поэтому он попросил друзей помочь: найти неврологов, специализирующихся на проблемах сомнамбулизма и при этом практикующих в районах Новой Риги, или Волоколамки, или хотя бы на северо-западе Москвы.

Разумеется, Лунатик мог вообще не обращаться к врачам, и никто из них даже не подозревает о его существовании. А если и обратился, то вполне мог найти своего невролога даже на противоположном конце Москвы. Но с чего-то надо начинать, и Алексей забросил вопрос знакомым медикам, сузив район поиска. Дальше будет видно. Как говаривал мудрый Жванецкий, бум переживать неприятности по мере их поступления.

А «поступления» Кис не ждал вскорости. Медики — люди занятые, они то жизни спасают, то на семинарах важных сидят или конференциях... Посему он позвонил Игорю, ассистенту, велел найти по Интернету всех неврологов в районе Истры и расспросить их о пациентах, страдающих сомнамбулизмом. Доктора, к слову, могут сослаться на врачебную тайну... Но попробовать надо. Детектив очень надеялся, что искомую информацию Игорю все же удастся получить, причем довольно быстро. Если повезет, то к моменту возвращения Алексея в свой офис на Смоленке.

На Смоленской на самом деле находился не офис, а старая квартира, в которой Алексей Кисанов родился и жил всю жизнь. Но с тех пор как появились на свет их с Александрой двойняшки, они перебрались в милое местечко недалеко от ВДНХ, в зеленые дворы за киностудией им. Горького. По правде сказать, покупка этой квартирки едва не превратилась в трагедию: Алексея ограбили, отобрав деньги на нее; Александру похитили; а в результате Кис был вынужден убить человека... Но жену он спас, деньги вернул. И вспоминать эту историю не любил.

Теперь на Смоленке остался его рабочий кабинет, где он утром принимал Машу. Точнее, кабинетом ему служит одна комната — которая, собственно, им служила и раньше. Вторая, бывшая спальня, продолжает быть спальней Алексея в тех случаях (редких, по счастью), когда работа задерживает его допоздна. И третья была предоставлена Игорю, что являлось частью оплаты его трудов. У молодого человека наличествует богатый папа — удачливый ученый, сумевший поставить свои знания на службу бизнесу, — но Игорь желал жить отдельно и независимо.

К разочарованию детектива, Игорь, хоть и наяривал по телефону без передышки, ничего не добился к моменту возвращения шефа: ни у одного из неврологов, которых он успел обзвонить, не имелось пациента-лунатика. И вряд ли дело во врачебной тайне, так как никто на нее даже не подумал сослаться. Скорее всего, они действительно не сталкивались на практике с этим довольно редким отклонением.

Знакомые медики тоже молчали.

А время шло. Маша вот-вот позвонит. Но детектив до сих пор не знал, что ей сказать. Точнее, какое решение принять. Потому что пока не понимал: искать ли автора жестокого розыгрыша, чтобы разоблачить его, или в самом деле попытаться расследовать гибель Машиного отца? Месяц спустя, когда уже ничего не осталось на месте трагедии, когда его останки похоронены, а обгоревший остов машины отправлен в утиль?

Ему оба варианта казались в равной степени бесперспективными и фантасмагоричными. Но Маша...

Возможно, он проецировал на нее свой отцовский страх... Даже беглая попытка представить, что дети могут остаться без его защиты, вызывала у него спазмы где-то в районе солнечного сплетения. С тех пор как двойняшки родились, Алексей стал аккуратней водить машину, больше следить за своей физической формой и питанием. Его тело, его здоровье и даже жизнь больше не принадлежали ему — все это отныне являлось капиталом Кирюши и Лизаньки.

А Маша вот осталась одна. Судя по ее рассказу, домашние — чудаки и чудачки, довольно забавные и, похоже, безвредные, но положиться ни на кого из них нельзя.

Нет, не бросит он девочку. Хотя бы попытается продвинуться в глубь этой странной истории, за пределы ее первой главы. А там...

Там будет видно.

— Беретесь? — с надеждой спросила девушка.

— Вы сейчас где, Машенька? — попытался уклониться от прямого ответа Кис.

— Значит, не беретесь...

— Мне нужно больше информации. Давайте встретимся.

— А мне больше нравилось, когда вы обращались ко мне на «ты».

— Хм. А я обращался?

— Вы записали нашу беседу на диктофон, можете проверить, — улыбнулась девушка.

— Ладно, верю на слово. Так ты где, Маша?

— В начале Ленинского.

— Движешься в сторону центра или в сторону окраин?

— Ни в какую. Стою.

— В пробке? Я могу подъехать, поговорим в каком-нибудь кафе...

— Нет, я во дворе стою. Я немножко стукнула машину...

Алексей напрягся. Что значит «немножко»? Обо что — или об кого — Маша ее стукнула? Там идут разборки с другим водителем? Или пострадал пешеход? Полиция приехала? Машина на ходу или... И где инструктор?

Кис забросал девушку вопросами.

Маша отвечала с той едва заметной снисходительной усмешкой, которая часто закрадывается в интонацию взрослых детей, отвечающих на вопросы волнующихся родителей. Нет, все живы, успокаивала детектива она. Полиция не приехала, потому что ее никто не вызывал; водитель тачки, которой она чуть-чуть помяла бампер, не стал делать из этого историю, поскольку Маша дала ему деньги на ремонт; инструктор свое отработал и ушел; жалко только, что у «Купера» фара разбилась. В тот момент, когда позвонил Алексей Андреевич, Маша как раз искала по Яндексу ближайший автосервис, потому что возвращаться домой с разбитой фарой ей не хочется...

— О, — сказал Кис, — не ищите. У меня есть на примете хорошая мастерская в комплекте с отличным мастером. Ждите на месте, я сейчас подъеду, и двинемся к нему.

И он набрал номер Романа.

...Алексей Кисанов, вопреки всем законам природы, в один и тот же год обзавелся новорожденными двойняшками, Кирюшей и Лизанькой, и взрослым девятнадцатилетним сыном Романом. Двойняшек ему подарила любимая женщина Александра, а сын... Он сам ему подарился. И, надо сказать, отнюдь не в праздничной упаковке. Наломал дров, нашкодил, круто потрепал им с Александрой нервы — ничего более умного, чтобы обставить свое появление в жизни отца, не подозревавшего о его существовании, Роман не придумал.

Но то, что в данный момент переживаешь как ужас, нередко потом, по прошествии времени, вспоминаешь с усмешкой. Так вышло и у них: после всех объяснений, откровений и исповедей, после того, как прорисовались белые пятна на картах их жизней, прописались пропущенные главы их биографий — они друг друга поняли, простили и начали новую жизнь. В которой у Алексея имелся взрослый сын, а у Романа существовал отец.

Нормальный, любящий отец. А не то, что он принимал за него раньше... К тому же Роман обрел клевую мачеху Александру и двух симпатичных малявок, братика с сестричкой. Жизнь его стала налаживаться, и детские раны — затягиваться.

Еще в ту пору, когда Роман не знал правды об отце, — в ту пору, когда мама была жива и изводила себя алкоголем, когда денег не хватало даже на еду, — в ту пору Роман научился чинить машины. Он куда больше времени проводил в автослесарной мастерской, чем в школе, и вскоре стал настоящим специалистом. Свое дело он любил, слушать железные тела умел — и машины отвечали взаимностью, с легкостью доверяя свои секреты. Соответственно, любили Романа и хозяева автомобилей. У него не было отбоя от клиентов, к нему записывались и занимали очередь. Профессиональный авторитет Романа зашкаливал, и заработки, к слову, тоже. И хоть он и поступил недавно на психологический факультет одного московского вуза (на заочное отделение, разумеется) — работу бросать не собирался.

История его увлечения психологией достойна отдельного полотна. Ведь если кому скажешь: автослесарь подался на психфак — не поверят. Однако у Ромки интерес к психологии возник давно и не случайно. Застенчивый и диковатый, но весьма красивый юноша, он привлекал к себе внимание дам (клиенток) с юных лет, правда, никогда не понимал тайные подтексты их слов и отвечать на них не умел — лишь смущался и заливался румянцем. Естественно, он стал задаваться вопросом, как расшифровать ему, недорослю, секреты женского поведения.

Сначала он взялся за чтение разделов по психологии в женских журналах. Позже перешел на серьезные учебники и труды корифеев. В результате Роман нашел эту науку хоть и не всегда убедительной, но занимательной. В ней ощущалось что-то от женщины: время от времени она впадала в фантазии (ласковый синоним к слову «завиралась»), да и с логикой не всегда дружила — но при этом была очаровательна.

Так и вышло, что Роман решил поучиться на психфаке. Не понравится — уйдет. В отличие от подавляющего большинства молодых людей у него ставка на диплом была минимальной. Любимую профессию и отличный заработок Роман уже имел. Последний, к слову, помог ему оплатить учебу на заочном отделении — а эти два фактора, «платность» и «заочность», обеспечили легкое поступление. Вскоре Роману предстояло сесть на студенческую скамью, а пока лето только заканчивалось, и он проводил большую часть времени в мастерской. Поскольку дело свое он любил, то оно для Ромки являлось одновременно и работой, и хобби; способом и деньги заработать, и время приятно провести. Так что он мог торчать в автосервисе круглосуточно. Вот почему Алексей был уверен, что сын немедленно его выручит.

— Ромка? Нужна твоя помощь. Я сейчас приеду к тебе с юной девицей, а ты, прошу, замени ей срочно-пресрочно фару. У нее «Мини-Купер».

— Какой модели?

— А их много? — удивился Кис. — Не знаю. Мне казалось, что они все одинаковые, как леденцы в коробочке.

— Па, ну ты даешь. Мы же не храним у себя все возможные запчасти от всех возможных моделей! Некоторые надо заказывать, а это требует времени...

— Мы все равно приедем. Это моя новая клиентка, дело страшно запутанное, хотя обещает быть интересным. Главное, она живет за городом, на Истре, и мне туда следовало бы съездить, тамошний народ порасспрашивать. Но не могу же я ехать к ней домой без нее, сечешь? Так что нужно быстренько решить девушкины проблемы.

— Когда вас ждать?

— Заберу ее с Ленинского проспекта и прямо к тебе. А пока велю ей тебе позвонить, разберешься с ней сам насчет модели, добро?

Игорь, слышавший разговор шефа, немного удивился:

— Так ты берешь дело? Вроде не в твоем оно вкусе. Абракадабра какая-то.

— В принципе, я еще не решил... Хотя нет, решил. Мне девчушка понравилась, а к тому же...

— Да? Ты не пошутил?

— С чего бы? — удивился Кис.

— Она какая-то... ненастоящая, что ли. С этой внешностью куклы... Знаешь, как в японском театре — кабуки. Там актеры все время прикладывают к лицу различные маски, которые выражают разные эмоции. Но при этом маски остаются неподвижными. Вот такое у меня впечатление от этой Маши.

Алексей был не согласен. У Маши внешность вовсе не кукольная, а мультяшная — детская и наивная, совершенно на маску не похожая. Но да, эта внешность входила в полное противоречие с ее осторожным — и даже настороженным — взвешиванием своих и чужих слов. Отсюда, видимо, возникло у Игоря сравнение с театром кабуки. Однако вступать в спор с ассистентом он не хотел: в конце концов, какая разница, понравилась она Игорю или нет? Брать дело или не брать, решает он, Кис, а симпатия к клиентам не является необходимым условием для работы частного детектива. И для работы его помощника тоже нет.

— ...а к тому ж она богатая наследница, платит хорошо, — улыбнулся Алексей.

— Да ладно, Кис, признайся, у тебя просто любопытство разыгралось.

— Разыгралось, — кивнул Алексей. — Тут не просто абракадабра — тут кто-то очень постарался *наабракадабрить*. И я бы не прочь выяснить, кто и зачем. Понадобится съездить к ним туда, на Истру, переговорить со священником и с прочими обитателями. Ты поедешь со мной. Но, думаю, нам придется провести там хотя бы пару дней — стало быть, остаться на ночлег в доме. Так что придется тебе с Машенькой подружиться. Девчушка норовистая, ты уж постарайся все свои таланты приложить.

— Это как? — озадачился Игорь.

— Блесни умом и остроумием. Она оценит, мне кажется.

— Что-то ты, Кис, усложняешь все. Скажи ей, что поедешь со своим ассистентом, и все дела!

— Судя по твоей кислой мине, так и придется поступить, — засмеялся детектив. — Надеюсь, Маша не заявит ноту протеста, хотя как знать... Дом ее, ей и решать, кого в гости приглашать.

— Да ладно, Кис, ты ее убедишь. Уж я-то тебя знаю!

— Хм. Ты мне просто так льстишь или с тайным умыслом?

— А лесть бывает без умысла?

— Тоже верно... Ишь, какой умный. Короче, можешь Кристину предупредить, что уедешь из города на пару дней.

Кристиной звали девушку Игоря. Прелестное рыжеволосое создание, которое они однажды вытащили из большой-пребольшой беды.

Неожиданно лицо молодого человека омрачилось.

Алексей бегло — из деликатности, но внимательно глянул на него еще раз. Нет, не показалось.

— Хочешь что-нибудь рассказать?

Игорь отвел глаза.

— Не сейчас.

— Ладно. Тогда поехали за Машенькой.

В машине ассистент молчал, а Алексей гадал: что же могло произойти у этих двоих, у Игоря с Кристиной, — одной из наиболее гармоничных пар, которые ему доводилось видеть на своем веку?

И вдруг он подумал, что следует задать парнишке вопрос. Вроде б невежливо лезть в чужие секреты, но, с другой стороны, вопрос может дать стимул к ответу. Иной раз очень трудно рассказать сокровенное... И тогда настойчивость собеседника способна помочь, открыть шлюзы молчания. Хотя, конечно, дело тонкое, настойчивость рискует показаться бесцеремонностью... Тут надо как-то аккуратно. Не переборщить.

— Говоришь, *не сейчас*? Ты не болтлив, — заговорил Кис, — и не любишь вешать на других свои переживания. Поэтому у тебя час откровений никогда не настанет сам по себе. Ни сейчас, ни потом. Просто сделай волевое усилие и начни.

— Знаешь, Кис... Я в очередной раз поражаюсь тебе.

Алексей не понял, комплимент это или подвох. Но счел за благо промолчать и предоставить Игорю продолжить.

И тот продолжил.

— Криска сказала, что у нее возникли комплексы... — Игорь повернулся к Алексею, подстерегая его реакцию, — из-за меня. *Из-за того, что я ее спас.*

Чего-чего?! Это что за бред?

Ни один мускул не дрогнул на лице детектива, он ничем не выдал своих эмоций.

— Прости, не врубаюсь. Объясни-ка еще раз, почему у нее комплексы?

— Ну, она говорит, что... Что из-за чувства благодарности она не смеет отстаивать свое мнение... То есть она вынуждена всегда соглашаться со мной, даже тогда, когда не согласна. Она ощущает себя в долгу и оттого постоянно мне уступает. В результате Kриска потеряла себя. Так она сказала...

Строго говоря, это сложное, многоступенчатое дело распутал он, Алексей Кисанов, — а Игоря, безостановочно рвавшегося в бой, он то и дело придерживал, поскольку в самом начале расследования парень уже был сильно избит, а во второй раз избиение могло превратиться в убийство... Когда же все закончилось — к счастью, благополучно! — и когда в тесной компании заинтересованных лиц детектив повествовал о деталях своего расследования, он всячески подчеркивал роль в нем Игоря. Алексей не считал, что обманывает Kриску: пусть Игорь и не мог приложить свою руку к поимке преступников, но его любовь к Кристине, его абсолютная жажда ее отыскать и спасти вдохновляли всех, участвовавших в этом безумном деле.

Но сейчас было бы нелепо заявить: ваще-та тебя, Kриска, спас детектив Кисанов, а Игорь только рвался, так что не комплексуй...

Смешно это было б и неуместно. И бесполезно — вот что самое главное. Бесполезно, потому что Алексей почти уверен: Кристина выдумала этот «комплекс», не желая говорить Игорю правду. А правда в том, что она хочет с ним расстаться. И не сумела придумать ничего более убедительного, чтобы смягчить удар...

Нет, Кис не считал себя знатоком женской психологии и допускал, что ошибается. К тому же Игорь, по его разумению, классный парень по всем параметрам, и любой девушке следовало бы беспокоиться лишь о том, чтоб его кто не увел. А Kриска, она предлагает...

Собственно, она что предлагает-то, а? Между прочим, это очень хороший практический вопрос, который сразу принесет дельный ответ!

— И что предлагает Кристина?

— Она не сказала...

— Ну, раз не сказала, значит, ничего страшного, — разом повеселел Кис. — Она просто поделилась с тобой своей проблемой, да?

— Не знаю, — мрачно ответил Игорь. — Я не понимаю, что за комплекс такой и почему она... Я, честно говоря, воспринял ее слова как предлог для... — он умолк, не закончив фразу.

Надо же, Игорь, оказывается, точно так же рассудил, — подивился Алексей. Ему почему-то казалось, что лишь у него столь пессимистический взгляд на женские уловки... Особенно после недавней истории с Милой.

— А как она вообще? В смысле, в ее поведении по отношению к тебе что-то изменилось?

— Да не то чтобы изменилось, но... Задумчивая она стала в последнее время. Словно мысль какую-то обдумывает.

— Знаешь что, парень, не морочь ты себе голову. Возьми да спроси Кристину прямо. Не то усохнешь от сомнений, — пошутил он.

И вдруг подумал, что Александра, любимая жена, тоже в последнее время как-то особенно задумчива... До сих пор Алексей не придавал этому значения: она журналистка, она все время что-то обдумывает — а сейчас вот напрягся.

— Спрошу, — кивнул Игорь. — Как говорит наш психолог Вера[1], проблемы в отношениях нужно вербализировать.

---

[1] Вера — героиня романа Т. Гармаш-Роффе «Шалости нечистой силы».

— Точно! — откликнулся Алексей.

Надо б и ему спросить у жены, в чем причина ее постоянной задумчивости.

Надо... ли? А вдруг... вдруг там такая причина... которую ему совсем не хочется знать? Вдруг скажет: я тебя разлюбила, Алеша, но не знаю, как это озвучить? А вдруг скажет: я ошиблась, Алеша, ты не тот человек, который мне нужен?

Какое страшное слово — «вдруг». Живешь себе спокойно и размеренно, как по ровному полю идешь, — но неожиданно под тобой разверзается земля, и ты проваливаешься в глубокую яму. Проваливаешься, ломая себе кости, не зная, где у ямы дно и долетишь ли до него живым... Ему ли, детективу, про это «вдруг» не знать? Именно с ним обращаются к нему люди, потому что беда приходит всегда «вдруг»...

Мысли Алексея будто понесло с горки на санках — одна другую обгоняя, одна другой ужаснее. Саша ведь никогда не была в меня влюблена, скакала одна мысль. Да, я заботливый, надежный, и Саша это ценит — но это слишком гладко, слишком скучно!.. — билась в истерике другая. Женщины мечтают именно о таких мужьях, да только *увлекаются* другими, «плохими парнями», — «порок любезен», как заметил поэт еще двести лет назад! С такими жизнь веселее, как на головокружительном аттракционе: то вверх, то вниз, сердце ухает, кровь кипит, глаза горят... — подпрыгивала на кочках третья.

Стоп! Хватит. К Саше это не имеет отношения. Подобные страсти физиологичны, примитивный разгул гормонов, а Александра не примитивна! Она... она...

О-о-о, хватит, все, хорош, стоп.

Об этом нельзя думать, иначе сойдешь с ума.

Сейчас есть важные, чрезвычайно важные дела, о которых как раз надо думать.

Сейчас.

Надо.

А с Сашей Кис просто поговорит. Потом. Спросит. Она обманывать не станет. Она...

О-о-о, ну я же велел: СТОП!

Что там у меня сейчас? А, вот: Маше нужно позвонить. Это срочно. Нужно выяснить, где она. А с Сашей он...

Неслышно чертыхнувшись, Алексей торопливо набрал номер девушки.

Он ее отыскал, перезваниваясь по мобильному, в одном из дворов по правой стороне в начале Ленинского проспекта. Представил Игоря официально, заявив, что ассистент ему понадобится, если, конечно, он, Алексей Андреевич Кисанов, возьмется за дело. Но в этом случае ей придется смириться с тем, что ассистент будет посвящен в подробности.

Маша посмотрела на Игоря долгим оценивающим взглядом, и Кис был готов поспорить, что взгляд этот она переняла от своего отца. Богатство лишает непосредственности и легкомыслия — оно приучает людей быть подозрительными и осторожными, изучать и фильтровать каждого нового знакомого.

— А у вас в договоре об оказании услуг есть пункт о неразглашении? — поинтересовалась девушка.

— Разумеется.

— Тогда ладно, — нежный голосок был сух, а в интонации читалось недосказанное: *хоть мне это и не нравится*.

Как бы то ни было, Игорь «фейсконтроль» прошел.

— Отлично. Теперь едем чинить фару. «Мини» поведет Игорь, а ты забирайся ко мне в джип. По дороге все обсудим, это скрасит нам пробки.

— А ему можно доверить мой...

— Можно, — отрезал детектив. — И секреты можно доверить, и тачку. И даже жизнь, если что.

В дороге Алексей подступился к щекотливой теме со всей деликатностью. Не спрашиваю, мол, тебя о вере в загробное существование, это личное дело каждого, но у нас могут возникнуть некоторые разногласия...

— Что, рискуем подраться?

— Сомневаюсь, — усмехнулся Кис, — с учетом разной весовой категории. Однако если я возьмусь за расследование, то буду исходить из предположения, что у появления данного письма есть причины объяснимые, земные. И первым делом я намерен обнаружить именно их. А уж потом решу, стоит ли продолжать. Если тебя это не устраивает...

— Знаете, почему я обратилась к вам? — перебила его Маша.

— Сейчас узнаю, похоже.

— Да. После папиного письма я не рискнула говорить ни с кем. Ни с его друзьями, ни с семьей. А в полицию, как вы понимаете, с письмом от голубя не пойдешь... К тому же папа велел найти «надежного человека» и при этом явно не полицию имел в виду... Я попросила Олега помочь — ему я могу довериться, он и так знает о письме, ведь он его нашел. И он никому не разболтает, он умеет хранить тайны исповеди, у него это — как сказать? — профессиональное. В общем, он навел справки и сегодня назвал ваше имя. Я сразу забурилась в Интернет, чтобы самой почитать о вас. Удивительно, практикующих частным образом сыщиков оказалось немало, я мимоходом заглянула на разные сайты. Но ни у кого нет таких уважительных отзывов, как у вас. Один из ваших клиентов написал: «Это не просто детектив. Это Человек». С заглавной «Ч» написал.

Надо же. Кис никогда не читал отзывы о себе. Нужно будет полюбопытствовать.

— И я понимаю, что он хотел сказать, — продолжала Маша. — Вы ведь могли солгать, чтобы удержать клиента. Ради хорошего гонорара. Но вы этого не сделали. Да, Алексей Андреевич, я хочу, чтобы вы мне помогли. Я согласна иметь с вами дело, и ведите его так, как считаете нужным.

— Заметано. Но имей в виду, тебе тоже придется быть честной со мной.

— Обещаю не врать... Но вряд ли я смогу ответить на любой ваш вопрос. Папа занимал высокое положение в обществе, он был богат, и есть вещи, которые...

— Можешь не продолжать. Идет. Дай пять.

Маша явно удивилась этому молодежному жесту, исходящему от человека, годившегося ей в отцы, но ударила в большую ладонь детектива своей маленькой ладошкой с удовольствием.

Глава 3

РЕПЕРТУАР ЛЕСНЫХ ПТАХ

У Романа они пробыли недолго: сын уже приготовил нужную фару и ловко заменил разбитую. Он был не слишком любезен с Машей — точнее, вежлив, но неулыбчив. А Алексей-то повез к нему девушку не без умысла: надеялся, что вдруг Маша растопит лед и выведет парня из эмоционального анабиоза, в который он погрузился после приключений в начале лета. Он даже стал избегать общения с девушками, по крайней мере с красивыми. Исключением стала лишь Настя, и то потому, что Ромка изначально квалифицировал ее как друга, решительно не замечая, что девушку угораздило в него влюбиться...

Денег у Маши Роман, конечно, не взял, как та ни пыталась сунуть ему несколько крупных купюр. «Я это делаю для отца, — заявил он, — с ним и разбирайтесь».

Кис заметил, как у Маши блеснули глаза: она тайно, но весьма заинтересованно рассматривала его сына. Но этот негодник на девушку даже не покосился и быстро ушел, сославшись на срочный заказ.

— Какие у вас планы? — спросил детектив Машу, когда Роман закончил. — У меня есть к вам еще вопросы, но если вы торопитесь вернуться...

— Не тороплюсь. Давайте поедим где-нибудь? Я проголодалась.

— Дома полно еды, — небрежно заметил Игорь.

— И Игорь отлично готовит, — добавил Алексей. — Если вы не настаиваете на ресторане, я бы предпочел пообедать у нас на Смоленке. Там и беседовать безопаснее, к тому же договор подпишем, у меня бланков с собой нет...

За столом детектив поведал Маше о своем посещении Клуба голубеводов, подробно пересказав их комментарии.

— Из этого следует, — выслушав, приподняла она светлые бровки, — что если на нашем участке никто не держит голубятню, то...

— То голубь не мог к вам прилететь.

— Получается, Олег меня обманул? — нахмурилась девушка. — Но зачем ему? Мог бы просто сказать, что письмо лежало на скамейке, к примеру.

— Возможно, там оно и лежало... Но Олегу вариант с голубем больше приглянулся. «Благая весть» и все такое. Он не обманул, а приукрасил.

— Что-то я слабо верю... — покачала головкой-корзинкой Маша. — Он знает, что на меня это не произвело бы впечатления. Я не хожу к нему на службы. И вообще в церковь не хожу.

— Голубь-почтальон исключает почтальона-человека, — подал голос Игорь.

— В смысле? — повернулась к нему Маша.

— Это удачная находка для Автора Письма. Подумайте сами: окажись послание на скамейке, сразу станут искать чужака, проникшего на участок, просматривать записи с камер — у вас ведь есть камеры, Маша, да? А голубя никто искать не станет. Да и не сможет: упорхнул, и след простыл.

— Очень хорошая мысль, Игорь, — одобрил Кис. — При условии, что Автор Письма в состоянии обеспечить приземление голубя в вашем саду. Но именно тут у нас неувязочка. По причине отсутствия голубятни.

— Вообще-то в нашей ограде есть лаз. Я сама его проделала, когда маленькой была. Ну, не сама, я мальчишек подбила, я дружила с деревенскими пацанами. Это было лет десять назад...

Десять лет назад эта миниатюрная девушка была, по всей видимости, совсем Дюймовочкой — но при этом дружила с пацанами. Причем дочка академика — с деревенскими. Любопытный характерец.

— Лаз легко найти?

— Теперь его практически не видно в разросшейся зелени, но если человек планомерно ищет, то найдет. И камер в том месте нет.

— Деревенские пацаны выросли за это время. Но вряд ли забыли, как попасть на ваш участок, — подал голос Игорь.

— Если кто-то нанял человека в деревне, чтобы проникнуть на территорию вашего дома, то зачем ему морочиться с почтовым голубем? Почему бы просто не подкинуть письмо к порогу часовни или на скамейку? И снова вопрос упирается в вашего священника: правду ли он сказал...

Девчушка призадумалась на некоторое время. А потом озвучила именно то, что Кис хотел услышать:

— Вы должны сами все осмотреть. И поговорить с Олегом. Если сегодняшний вечер у вас свободен, то предлагаю поехать со мной. В доме найдется место для вас и для вашего помощника... — Маша лучезарно улыбнулась Игорю.

И очень по-светски, отметил детектив. Ему даже стало немного не по себе. С чего он, собственно, взял, что Маша *скрывает* свои чувства? Свою боль, свою печаль? Может, там и скрывать нечего? А детектив просто приписал ей те эмоции, которые человек обычно испытывает в подобной ситуации... Всего несколько часов назад он выговаривал Маше: *не приписывайте мне ваши представления о вещах — вы не сочинительница, а я не ваш персонаж.* Очень правильно сформулировал. Прям мудро. А сам что делает? Ищет глубину там, где ее, возможно, вовсе нет?

Глупости. Сколько раз самому приходилось так улыбаться и сколько еще придется, чтобы оборвать ненужный разговор или скрыть свои мысли, или свое отношение к собеседнику, или... много чего. Спасительная светская улыбка, отличный инструмент в общении. Если ты им владеешь, этим инструментом, еще не значит, что ты пустышка. Просто в сочетании с детским Машиным личиком необычно, вот в чем дело.

— Только вам придется, — продолжала девушка, — вернее, мне придется представить вас как папиного друга. А Игоря, думаю, как вашего сына, вы не против? Скажу, что вы не смогли приехать на похороны, потому что... не знаю, за границей живете? Или наоборот, на Дальнем Востоке? А сейчас приехали, позвонили мне, и я вас пригласила остановиться на пару дней в нашем доме. Как-то так, идет? Ну, детали еще придумаем.

— А почему не сказать прямо, что мы детективы? Чего ты опасаешься?

— Не опасаюсь. Просто никто не знает о письме и тем более о его содержании. И папа писал, чтобы я никому не говорила. Поэтому я не могу сказать ни Наташе, ни Лене, кто вы такие на самом деле. Только Олегу. В смысле, батюшке.

— Это будет непросто. Мне ведь придется задавать вопросы твоим домашним. Статус папиного друга вряд ли позволит мне расспрашивать твоих...

— О голубятне? Не стоит и время терять. Они не знают, что находится на нашем участке, а уж в окрестностях тем более!

— Они могли что-то видеть, что-то слышать. И сами не подозревают, что это важно.

— Алексей Андреевич, вы познакомитесь с ними и сами поймете, до какой степени мои мачеха и тетя погружены в свои личные дела, а бабушка...

— Хорошо, договоримся так: мы с Игорем будем придерживаться «легенды». Но если что-то меня насторожит, придется раскрывать карты. Однако не беспокойся, на их вопросы я отвечать не стану, сошлюсь на тайну клиента и следствия.

Маша кивнула, хоть и не слишком охотно.

— Кроме того, мне нужно будет поговорить с друзьями твоего папы, с коллегами. Он где работал?

— Как? — округлила глаза Маша. — Вы не знаете академика Донникова?! Никогда не слышали?!

...Академик, академик, акаде... А, кажется, детектив слышал. Это тот самый, который...

— Уж не он ли был директором Заповедника доровья?[1]

— Ну да! Я даже не стала уточнять, когда вам

---

[1] Название придумано автором, все совпадения случайны.

представилась. Мне казалось, что все знают нашу фамилию... — голос у Маши был немного растерянный.

Все. Кто они такие, эти все? Донникова знают коллеги и пациенты. Это вам не Алла Пугачева, которая действительно широко известна... и то лишь в России. Вот Майкла Джексона — этого точно знает вся планета. А Донников для большинства — только имя, которое изредка мелькает в прессе, причем в специфическом медицинском контексте. И то исключительно для тех, кого оный контекст интересует.

Этого Кис, разумеется, девчушке не сказал. Зачем ее расстраивать. Пусть у нее легкая мания величия — не страшно, само пройдет со временем.

Детектив понимал, отчего эта мания возникла. Заповедник здоровья, учрежденный Евгением Дмитриевичем Донниковым в самом начале девяностых, за короткое время завоевал авторитет в высших кругах. Туда обращались политики и звезды, олигархи и спортсмены. Модное заведение у этой категории общества было постоянно на слуху, вот Маше и пригрезилась мировая слава.

— Ну, видите, я вспомнил, — улыбнулся Алексей. И, к слову, весьма светски. — Давайте обсудим нашу «легенду» и двинемся.

В результате было решено, что Алексей представится школьным товарищем Машиного отца. Он был, правда, младше Донникова, но ничего, сойдет. В конце концов, есть люди, которые выглядят значительно моложе своих лет.

Маша быстро нашла папин профиль в «Одноклассниках» — Донников завел его давно, на заре создания сайта, но уже много лет там не бывал, ни с кем не общался и, скорее всего, о нем забыл. Однако его страница там висела, номер школы был указан, и уйма народу ему писала (безответно), делясь школьными воспоминаниями, которые теперь детективу весьма сгодились.

Игорь, как и предложила Машенька, должен был сойти за сына Алексея Андреевича.

Запасной комплект одежды на случай срочного отъезда лежал у детектива в кабинете, но ему хотелось съездить домой, поцеловать детей и Александру. И главное, еще раз прислушаться к ее молчанию, понять его.

Он условился с Машей и Игорем встретиться в восемь вечера у станции Истра, откуда они уже все вместе направятся к дому Донниковых.

— Вы можете поехать со мной, — вежливо предложила Маша Игорю.

— Или мне лучше на своей? — посмотрел на шефа Игорь.

— Необязательно. Обратно я тебя довезу на своем джипе, так что вполне можешь пересесть в «Мини»... если там поместятся два человека, конечно, — съехидничал детектив.

— Не надо обижать моего «Купера»! Хоть он и компактный, в него прекрасно помещаются четыре черненьких чумазеньких чертенка!..

— Что-о?

— Четыре человека, — моргнула Маша. — А ваш джип похож на корыто на ножках. Уродец беспородный, вот так-то!

Кис расхохотался. Это «корыто» обошлось ему в кругленькую сумму, зато, как и обещала реклама производителя, оно оказалось настоящим вездеходом — ценное качество для того, кто в силу профессии колесит по дорогам разной проходимости, а то и вовсе непроходимым.

Впрочем, слишком высокие колеса и впрямь придавали машине некоторую неуклюжесть форм.

Дома дети с визгом повисли на папе, а Александра... Что было в ее взгляде? Настороженность? Отстраненность? Трудно определить, но во всех случаях не радость. Будто она и впрямь обдумывала какую-то мысль, которую пока не решалась произнести вслух.

Он поцеловал жену, как обычно, стараясь не выдать своих сомнений. Принял душ, выпил кофе, оделся в чистое, прихватил с собой еще смену белья и куртку на случай прохладного вечера. Прощаясь с Александрой, он физически ощутил: его уход вызвал у жены облегчение. Как будто она устала — как и он, к слову, — делать вид, что у них все в порядке.

Что же творится у них? Что же творится с ними?..

Одинокий двухэтажный дом с мезонином под остроконечной крышей показался Алексею одновременно нахальным и наивным. Нахальным из-за того размаха, с которым был оттяпан здоровый кусок леса под окружавший дом участок. В начале девяностых, когда старые законы сгинули в одночасье, а новые еще не родились, можно было хапнуть что угодно по устному распоряжению какого-нибудь начальника. Который, возможно, уже и не существует в таковом качестве и никогда не подтвердит то распоряжение, если возникнут проблемы. Надо будет сказать Маше, чтобы проверила наличие нужных *письменных* разрешений на строительство в этом заповедном уголке...

А наивным дом воспринимался оттого, что выглядел нарядным и доверчивым, как юная девица, — находясь меж тем на отшибе у всякой цивилизации. В деревне, как и в городе, определенную безопасность гарантируют соседи: редкий вор или бандит отважится вламываться в чужое жилье на глазах у них, вездесущих. Но тут бдящего соседского ока не имелось — только лес позади да поле спереди, — отчего любой злоумышленник, что бы ни задумал, мог почти безнаказанно пробраться на участок, а оттуда в дом, где проживали в основном женщины. Конечно, там есть охранник и прочные ворота — но забор из зеленых прутьев, хоть и куда элегантнее кирпичного с битым стеклом поверху, слишком легко преодолим. Чему свидетельством лаз, который, по словам Маши, на протяжении десяти последних лет никто из домашних не только не заделал, но и не обнаружил. Поразительная беспечность академика... Или он тоже думал, что его знают *все-все* и добрые медицинские дела служат ему защитой от зла?

Внутри дом оказался светлым и просторным. Свет давали «французские окна» (то есть окна-двери), ведущие в сад, и большое круглое окно в потолке, а простор обеспечивала воздушность интерьера. Ничего тяжелого и дорогого — тут, скорее, царила атмосфера интеллигентной квартиры позднего СССР: в гостиной книжные стеллажи занимали всю стену от пола до потолка, светлая мебель проста и функциональна.

— Дина! — крикнула Маша. — Это наша горничная, — шепнула она детективу, — она у нас главная по чистоте и порядку. И еще она у нас немножко мажордом... Дина!

Темноволосая женщина лет сорока пяти появилась на верхней лестничной площадке и с любопытством уставилась на вошедших.

— Здравствуйте... У нас гости, Мария Евгеньевна?

— Р-р-р, — смешно зарычала Маша, — сколько раз мне повторять, чтобы вы не называли меня по отчеству! Для вас я Маша.

— Хорошо.

— Позовите всех вниз, пожалуйста.

— Сию минуту, Мария Евгеньевна.

И горничная исчезла.

— Видели? И вот так каждый раз. Может, надо ее стукнуть? — посмотрела Маша на Алексея с Игорем и засмеялась. — А?

— Да лучше сразу убей, — хмыкнул Игорь.

— Но тогда она никогда не научится звать меня «Машей»! — хихикнула девушка.

— Зато больше не будет звать по отчеству! — в тон ей хихикнул юноша.

— Представь меня Константином, — шепнул детектив, которому было не до детских глупостей. — Я видел на «Одноклассниках», с твоим папой учился какой-то Костик...

Первой явилась Лена: бледное нервное личико, жидкие светлые волосы в беспорядке, крашеная их часть уже изрядно отросла, явив потемневшие корни. Если до замужества с академиком она была репетиторшей Маши, то, скорее всего, работала раньше учительницей — слабомочной такой училкой, которая не справляется с пятиклашками, орет на них в школе и плачет по вечерам дома. Лена поздоровалась с «другом» погибшего супруга без всякого интереса, буркнула Маше, что следовало ее, Лену, спросить, прежде чем везти в дом посторонних, — и ушла.

Алексей сам пережил смерть родителей, и близкие его друзья теряли родных, так что он кое-что знал о скорби по своему и чужому опыту. Знал, как безмерно дорог каждый разговор об ушедшем человеке, каждое воспоминание — они словно оживляют его ненадолго... Оттого хватаешься за любого, кто с ним дружил и его помнил, — и расспрашиваешь, расспрашиваешь и жадно впитываешь слова...

По интересу Лены к «другу» ее мужа нетрудно измерить меру ее скорби. Как там выразилась Маша? *«Она просто курица, которой пришло время нести яйца. Она искала не любовь, не мужчину — она искала курятник. И нашла, к несчастью, в нашем доме»*. Резко, но, судя по всему, справедливо.

Вслед за Леной показалась Наташа, сестра Евгения Дмитриевича. Тоже весьма типичная дамочка, но жанр иной: этакая советская интеллигентка с левым уклоном а-ля «фига в кармане»: живые глаза, острый нос, костлява; в увенчанных множеством крупных серебряных колец пальцах сигарета. Такие часами спорили на кухне у друзей о новом романе в толстом журнале или о премьере на Таганке, пили кофе, сваренный в турках, и грузинское вино, мало ели и много курили. В противоположность Лене Машина тетя оглядела гостей с интересом, который, однако, угас быстро: Наташа поняла, что мужчины не из ее «профсоюза». Иными словами, далекие от богемных культурных сфер люди.

Бабушка не спустилась: спит. Но Алексея она интересовала меньше всего: во-первых, она мать Донникова, а матери детей не убивают (за редким исключением социально и психиатрически тяжелых случаев). Во-вторых, Наташе, старшей сестре академика, не меньше шестидесяти — стало быть, бабушке где-то восемьдесят и выше, а в этом возрасте карьеру детоубийцы уж точно не начинают.

Охранника Маша представила последним. Плотный, коренастый, лысеющий мужик, явно бывший работник органов с цепким профессиональным взглядом. Мужчины пожали друг другу руки, не произнеся ни слова, и разошлись.

Завершив ритуал представления «папиного друга с сыном» домашним, они последовали за Машей в сад, где первым делом осмотрели лаз. Он и впрямь был незаметен в ветках буйно разросшихся кустов, да и протиснуться в него отнюдь не просто из-за тех же веток. Маша, маленькая и юркая, пробиралась ползком, а взрослый человек средней комплекции пролез бы с трудом, к тому же изрядно оцарапался... Но пролез бы.

Отец Нил, он же Олег, ждал их у небольшой часовенки, почти потерявшейся в лесистой части громадного участка Донниковых. Алексей намеревался изучить записи камер наблюдения (если таковые на доме имелись), но уже ясно: сюда их объективы заглянуть не в состоянии. Так что подтверждения — или опровержения — версии с голубем найти не удастся. Придется полагаться на слова священника.

Он оказался совсем молодым человеком, одетым в светлые джинсы и простую бежевую футболку. У него было открытое лицо веселого студента-прогульщика... Точнее, было бы, кабы не глаза. Темные, томные, с легкой азиатчинкой в контуре, они будто принадлежали другой личности. Из-за этого казалось, что Олег только прикидывается, строя из себя веселого простака. Впрочем, Алексей повидал на своем веку подобные противоречивые лица и уже имел возможность убедиться, что далеко не всегда следует искать за двойственностью черт двойственность натуры.

Олег крошил хлеб и бросал птицам, которые шумной стайкой кружились и крутились на хлебной полянке. Поймав взгляд сыщика, он пояснил:

— Выбрасывать пищу — грех. Я попросил, чтобы с кухни носили хлебные остатки мне, для птиц.

Но Кис вовсе не задавался вопросом, зачем священник кормит птиц. Александра тоже выносила зимой в сквер остатки хлеба для птиц, да и не только она. Ничего в этом необычного нет. Сыщик задавался другим вопросом: прилетают ли сюда кормиться голуби, раз уж тут всегда еда. И если да, мог ли прилететь сюда один из них с письмом. Может, он давно повадился на эту поляну, а кто-то об этом прознал и использовал его привычку...

Хотя нет, слишком сложно, слишком заковыристо. Надо было тогда этого голубя отследить, как-то его узнать среди других — они же все на одно «лицо», все сизые, — затем его поймать, нацепить письмо... Без всяких гарантий, что птица полетит на участок Донниковых. Вот почтарь, будь тут его дом, обязательно бы прилетел. А обычный...

— Расскажите о голубе. Он прилетел кормиться хлебными крошками?

— Нет. Я его увидел, когда пришел в часовню. Он сидел вот тут, на спинке скамейки, смотрите, даже помет остался...

Маша, присевшая на означенную скамейку, резко вскочила, брезгливо оглянувшись на спинку. На ней и в самом деле оказался помет. Но от какой птицы? Вокруг деревья, и любые ворона, галка могли оставить эту белесую кляксу на досках. Так что ничего она не доказывает, подумал детектив. Однако озвучивать не стал: выйдет бесполезный поворот в диалоге, только времени трата.

Дальше? Дальше все просто: увидев на шее голубя шнурок с квадратиком бумаги, Олег машинально протянул руку и снял его. Лишь запоздало удивился, что птица позволила это сделать незнакомому человеку.

— Видите ли, — пустился детектив в повествование, — я обратился в Клуб голубеводов, и вот что мне там рассказали...

Олег выслушал, чуть склонив голову к плечу.

— Интересно, я не представлял, как устроена голубиная почта... Действительно, голубятни у нас нет. Тем не менее голубь сюда прилетал, — доброжелательно и спокойно ответил он. — Если вы думаете, что я лгу, то напрасно. Мне по сану лгать не положено.

— Хм. Разве есть люди, которым лгать положено? Я не силен в религии, но мне казалось, что ложь считается дурным поступком для любого человека. Никому не предписывается.

— Разумеется. Но для служителя церкви... Неважно, мы ведь не об этом. Я рассказал вам, что видел. Это вступает в противоречие с той информацией, которую дали вам в клубе, понимаю. И не знаю, как противоречие объяснить. Вы сыщик — вы и ищите объяснения.

— Чем я и занимаюсь, — любезно улыбнулся Кис. — Что произошло после того, как вы сняли шнурок с конвертом с шеи птицы?

— Голубь практически сразу взлетел... Я бы даже сказал «взмыл». Красиво, я прямо засмотрелся.

— *Красиво*?

Алексей никогда не замечал никакой особой красоты в полете голубя, признаться.

— Может, потому, что он белый, с длинным хвостом — таким, как бы сказать, кружевным, что ли... До лебедя ему далеко, конечно, но все же изящная птица.

— Белый голубь с кружевным хвостом?.. Не обычный сизый? — удивился Алексей. — Игорь, забрось-ка в Яндекс. Я, пожалуй, белых-то не видел никогда, а уж с кружевами... Олег, вы уверены, что это был голубь? Может, какая-то другая пти...

Игорь сжал локоть детектива и сделал пару шагов в сторону.

— Кис, — прошептал он, — белые голуби существуют. Причем с *ажурными* хвостами — так это называется. И знаешь, где я видел их? В цирке! Можешь мне поверить и без Яндекса.

Алексею повторять не требовалось. Он просто кивнул ассистенту и показал большой палец. Эта информация мгновенно все прояснила: стало понятно, что голубятня тут ни при чем; голубь, скорее всего, действительно был, Олег не лжет. И главное, голубь этот дрессированный! Вот почему он смирно сидел и почему дал снять с себя шнурок.

Однако из этого следовало, что дрессировщик находился поблизости. И подавал каким-то образом команды.

— Узнай, как дрессировщик общается с птицами. Какими сигналами.

Игорь достал смартфон и принялся нажимать кнопки, а детектив вернулся к священнику.

— Перед тем как голубь взмыл, вы ничего необычного не слышали?

— Нет вроде... А в каком смысле *необычного*?

— У вас тут есть определенный шумовой фон. Здесь лес, в нем живут птицы и мелкие звери, Маша говорила, — Алексей повернулся в сторону девушки, — что даже лисицы сюда наведываются. Ежики ходят-шуршат, белки прыгают, ветки качают, шишки сбивают... дятлы там разные барабанят, совы ухают, не знаю... Ну и всякие птицы щебечут, конечно.

— Совы обычно по ночам ухают...

— Неважно. Главное, не слышали ль вы какой-то звук, который выбивался бы из привычного фона?

Игорь подошел к ним, протянул детективу свой смартфон. «...Дрессировщик обычно подает команды определенным звуком, это может быть свист или...» — прочитал на экране детектив.

— Свист, к примеру? — закончил он свой многоступенчатый вопрос к священнику.

— Думаете, голубя принес дрессировщик? — проницательно посмотрел тот на Алексея.

— Весьма вероятно.

Отец Нил задумался на некоторое время, а затем произнес неуверенно:

— Была одна маленькая странность, но может, просто совпадение?.. Свиста я не слышал, но какая-то птица прощебетала как раз перед тем, как голубь взлетел. А странность в том, что мне в ее щебете послышались первые ноты «Подмосковных вечеров»: не слы-шны в са-ду... — Олег начертил рукой в воздухе ноты, выше-ниже. — Понимаете, прямо спела пичуга: тю-тю-тю-тютю...

Детектив с ассистентом переглянулись. Тут и без Яндекса ясно, что лесные птахи партитуру «Подмосковных вечеров» не разучивали...

Итак, в сад можно попасть через лаз. Найти его не просто, беглый взгляд не вычленит зеленые прутья в буйной зелени кустов, но взгляд внимательный все-таки обнаружит: тот самый случай, когда ищущий непременно обрящет. Откуда легко допустить, что на участок Донниковых пробрался голубиный дрессировщик вместе с голубем. Посадил своего питомца с бумажным квадратиком на шее на лавочку, сам укрылся за часовней и стал ждать, пока отец Нил снимет послание. Затем с помощью художественного свиста-щебета отозвал голубя, скрылся в глубине лесистой части владений Донниковых и убыл через лаз так же незаметно, как прибыл.

Кто его послал, кто ему заплатил — другой вопрос, до него доберемся постепенно. Главное, что история с «благой вестью» приобретает черты правды. Стало быть, теперь можно переходить к тому, кто значится в программке нашего действа как Лунатик.

Однако никто из знакомых врачей детективу до сих пор не позвонил. Означало это, скорей всего, следующее: у них подобных сведений не имеется, они запустили вопрос дальше по своим знакомым. Но ответа пока нет. Да и вряд ли будет.

Собственно, стоит ли его искать? Теперь, когда понятно, что священник не солгал и голубь действительно имел место быть, так ли уж важно найти того, чья рука... точнее, чей принтер отпечатал бредовое письмо? Нет, Кис не забыл мысль, что кто-то мог видеть человека, повлиявшего на Лунатика. Но мог и не видеть. Да и был ли Лунатик?

Между прочим, все это выглядит странно. Получается, что Автор Письма сначала нашел Лунатика, которому надиктовал текст, забрал у него распечатку, а затем нашел голубиного дрессировщика, чтобы доставить письмо по адресу. Итого аж три человека принимали в этом деле участие — очень громоздко для столь секретного предприятия. Разве только допустить, что дрессировщик и есть сомнамбула... А заодно и Автор Письма. Един в трех лицах, так сказать, и швец, и жнец, и на дуде игрец. Но в это верится с трудом, перебор. К тому же Автор Письма непременно должен быть человеком из близкого окружения Донникова. Либо семейного круга, либо медицинского. Тогда как дрессировщик голубей работает в совершенно другой сфере... Никак не может он оказаться Автором Письма. Его наняли, он свое дело сделал. А Лунатика в этой схеме и вовсе нет. Его придумали, чтобы как-то объяснить «письмо с того света». Маша — умная девочка, хоть и маленькая еще. Она немного верит в чудо, Алексей чувствовал, — но при этом минимальная логика должна быть соблюдена, иначе девушку не убедить. Вот ее и соблюли: Лунатик материализовал в ее восприятии «потустороннее» письмо, перевел «голос оттуда» на вполне земную бумагу формата А4...

Рассудив таким образом, детектив решил времени на поиски Лунатика не терять. Если вдруг кто-то из медиков даст наводку — он съездит, посмотрит, поговорит. А нет — так и не надо. Главное, что история с голубем оказалась правдой. Кто-то немало трудов положил на это представление — чтобы Маша получила письмо через отца Нила и поверила. И обратилась к детективу.

Девушка уже ушла в дом: смеркалось, холодало, и она озябла в своем сером платьишке. Священник тоже покинул участок: детективы видели, как он обогнул дом, а вскоре услышали шум заводимого мотоцикла. Занятный батюшка.

Еще несколько минут Алексей прикидывал, каковы шансы найти дрессировщика. Никто его не видел, примет нет, фоторобот не составить. Отпечатки на письме (если были) уже изрядно затерты прикосновениями Олега и Маши. Можно, конечно, все равно отдать на экспертизу знакомым спецам, попробовать отыскать посторонние «пальчики», но Алексей чувствовал, что это тупиковый ход и чистая потеря времени: голубиный дрессировщик как пить дать работал в перчатках. Вряд ли потому, что сам такой умный, но тот, кто его нанял, велел подстраховаться.

Существует ли иной способ сесть на ажурный хвост этому голубю?

— Заведи-ка птичку эту в поисковую строку, — обратился Кис к Игорю.

— Ща... Ого, выпало двести девять тысяч ссылок!

— *Тысяч*?

— Ну да. Смотри, — Игорь повернул экран к шефу. — И видео, и картинки, и реклама, и статьи по дрессировке... Кстати, вот он, полюбуйся, белый голубь с ажурным хвостом! — он увеличил одну из пестрой мозаики фотографию. — И дрессировщиков тоже немало... Наверняка у каждого из них есть аккаунты в соцсетях, причем и в «Одноклассниках», и «Фейсбуке», и «ВКонтакте» и еще парочке одновременно. Они там рекламируют свои номера с голубями для разных праздников. Но как вычислить из них «нашего»? Написать им всем по записочке? Так никто не признается. Человек, который стоит за письмом, усиленно шифруется сам и дрессировщику велел.

— А что, если наш дрессировщик в целях рекламы поставил на своих страницах фото голубя с письмом? Тогда мы сможем припереть его к стенке.

— И знаешь, что он скажет?

— Что получил заказ по почте, — вздохнул детектив, — а деньги передал в конверте курьер. Я не я, лошадь не моя, и ваще меня тут не стояло.

— Не расстраивайся, Кис. Главное, что письмо и голубь оказались правдой. Ты ведь в этом хотел первым делом убедиться? Вот, убедился.

— Да уж. Кто-то много труда положил, чтобы донести до Маши информацию о смерти ее отца, и информация эта — тоже правда. Вернее, Автор Письма так считает. Надеюсь, не без повода... Люди слишком часто позволяют себе иметь мнение, не имея фактов для его обоснования. Если у нас такой случай, то мы угрохаем уйму времени впустую.

— Не будь пессимистом, Кис. Автор Письма, кем бы он ни оказался, близкий к академику человек. И он хоть что-то, да знает. Мы должны постараться вычислить его.

— И по какому признаку, по какой примете? Есть идея?

— Ни малейшей... Только если интуитивно — уловить чей-то особо настороженный взгляд.

— Так может посмотреть на тебя и убийца, Игорь. У Автора Письма есть кое-что общее с ним: и тот и другой не хотят, чтобы их разоблачили.

— Главное, что и тот и другой знают правду о смерти академика, правду о ДТП. А наша задача — эту правду добыть.

— Да неужели? — усмехнулся шеф. — С каких это пор ты говоришь лозунгами?

— Не придирайся. Я просто развиваю мысль. Предлагаю искать обоих одновременно, примерять каждого из окружения Донникова к обеим ролям. Начнем с обитателей имения. Кто-то был заинтересован в смерти академика, что-то выигрывал от нее. А выигрывали либо домашние — наследство, тут понятно, — либо некто в его профессиональных кругах. Давай присмотримся к местному народцу, коль скоро мы тут.

— Из тех, кого я уже видел, никто не годится ни на роль Автора Письма, ни на роль убийцы, — помотал головой Алексей. — Мотива нет. Все дамы жили на содержании у Донникова — теперь же его лишились. Не уверен, что наследство сможет компенсировать постоянное и стабильное содержание. Да и автокатастрофу подстроить они не могли, кишка тонка. И подробности знать им неоткуда...

— Где, кстати, она произошла? — спросил Игорь.

— Пока не интересовался. Сейчас придем в дом, расспросим Машеньку.

— Между прочим, ДТП устраивать не обязательно своими нежными ручками, — продолжал Игорь. — Та же субтильная Лена могла нанять умелого человека. Она, кстати, в отсутствие завещания должна больше всех получить из наследства Донникова, если только они какого-нибудь хитрого брачного контракта не подписывали... Кис, слушай, а почему он с шофером не ездил? Чтоб у академика да не было личного шофера?

— Был. По словам Маши, отец любил сам баранку крутить. Но, повторяю, я о ДТП еще не расспрашивал — для начала хотел убедиться, что голубиное письмо не ложь и не розыгрыш. А вот теперь как раз спросим... Знаешь что? — Алексей вдруг остановился в нескольких шагах от двери в дом и повернулся к Игорю. — А ведь машины так просто не загораются! И тем более не взрываются. Особенно современные дорогие марки — а у Донникова наверняка была отличная тачка, может, поэтому он так любил ее водить... Все эти эффектные трюки в кино, где автомобили сталкиваются и взлетают на воздух, — чисто голливудский вымысел с применением пиротехники.

— Я тоже в какой-то передаче видел разоблачение киношных эффектов... Нужно что-то еще, чтобы возник пожар, — неисправность в электропроводке, например... А взрыв бывает из-за паров бензина, при условии, что бак хотя бы наполовину пустой, кажется... Не помню подробности, — покачал головой Игорь. — Я передачу слушал вполуха, но точно одно: мало просто врезаться во что-то, для пожара и взрыва нужны дополнительные факторы. Может, Роман в таких делах разбирается?

— Вряд ли. Он машины чинит, а не испытывает. Да нам пока не надо. И так ясно, что дело нечисто.

— Если автокатастрофа подстроена, — не унимался Игорь, — то вывести из строя могли либо машину, либо водителя. То есть, допустим, академику в кофе что-то подсыпали, типа снотворного. Он заснул за рулем и разбился. Или другой вариант: в машине «две крутки не докрутили», как ты любишь говорить.

— Это не я, это Аркадий Райкин.

— Да-да... — рассеянно кивнул Игорь, захваченный своей мыслью. — И сделали это в обоих случаях там, откуда он выехал: или из дома с утра, или с работы вечером. Сейчас спросим у Маши, где находился ее отец перед ДТП, и сразу поймем, где искать убийцу!

В Адыгее. Дорожно-транспортное происшествие, закончившееся гибелью Евгения Дмитриевича Донникова, произошло в горной части Республики Адыгея.

То есть далеко от Москвы. Очень далеко.

И при полном отсутствии свидетелей.

То есть ехал себе Евгений Дмитрич по горной дороге, как вдруг сковырнулся в пропасть. А машина-то была как раз с газовыми баллонами. И, рухнув в пропасть, она загорелась. А потом взорвалась. И тело, бедное тело академика, изрядно выгорев сначала, разлетелось затем при взрыве на кусочки. Машина, к слову, тоже. Ежели там кто «две крутки не докрутил» — то уже не узнать. Взрыв те «крутки» разложил на атомы...

Алексей видел, как у Маши, когда она рассказывала об этом, светлые волоски на руке встали дыбом от ужаса. Страшная картина горящего тела отца — самого родного человека на земле — наверняка преследует воображение этой девочки с тех пор, как она узнала подробности автокатастрофы.

— Прости, Машенька.

— Незачем извиняться. Я сама к вам обратилась, Алексей Андреевич.

— Ты сильный человек.

— Обычно люди считают, что если я не показываю своих чувств, то у меня их нет.

— Да, девочка, потому что у них не развито воображение и они не в состоянии представить себе то, что не видимо глазу, — чужую боль, к примеру. Сами они, окажись на твоем месте, утопили бы в слезах и соплях всех окружающих, требуя к себе сочувствия и внимания. Потому что им неведомо мужество. А тебе ведомо. Твой отец тобой гордился, я уверен.

— Знаете, я в последнее время все чаще думаю, что хорошие родители совершают большую ошибку, воспитывая детей в понятиях порядочности, чести, отзывчивости... Потому что ребенок растет, думая, что именно так устроен мир. Он видит, что взрослые все знают и все умеют, — к тому же они добрые, всегда придут тебе на помощь... В эту пору ведь всех взрослых олицетворяет твоя семья, и ты думаешь, что все такие же, как мама с папой. Потом ребенок вырастает и обнаруживает, что настоящий мир разительно отличается от его возвышенных представлений. Но самое большое разочарование ждет в тезаурусе: мы говорим одни и те же слова — добро, любовь, порядочность и так далее, а понимаем под ними абсолютно разные вещи... Возьмите хотя бы Лену: она ведь не только говорит, будто папу любила, но и искренне верит, что любила. В то время как она на любовь органически не способна! Она малахольная, физически и душевно, — а на любовь нужны силы. Любовь — это ведь отдача... Вы согласны?

Алексей коротко кивнул. Маша сейчас озвучивала его собственные мысли, а он почему-то был уверен, что они доступны только людям с опытом, набравшимся жизненной мудрости. А вот перед ним сидела мультяшная девочка и произносила взрослые мудрые вещи.

— Слабые умеют только брать. Поэтому они присасываются к сильным. Тогда как сильные отдают, не считая, щедро... Как папа.

Слезы не заставили себя ждать. Еще бы, после такой речи Алексей и сам едва удержался от подступившей слезы.

— И еще они доверчивы, они не подозревают других в меркантильности, потому что им самим она неведома... Их легко обмануть, ими легко попользоваться... Папа учил меня быть закрытой, защищенной... А сам дал обвести себя вокруг пальца Лене, которая даже не хитрая, просто примитивная курица в поисках курятника...

Маша уже плакала, не таясь, и Алексей обнял девушку за почти детские плечики.

— Ну-ну, — повторял он, глупо похлопывая ее по спине, — ну-ну...

Игорь, все это время молча сидевший в некотором отдалении — он всегда точно чувствовал, когда следует уйти в тень и оставить шефа с клиентом наедине, — вдруг поднялся.

— Может, перенесем все разговоры на завтрашнее утро, Алексей Андреевич? Маша привыкла рано ложиться, ей пора отдохнуть...

Игорь ловким движением перенял Машины плечики в свои руки и как-то так их заграбастал, что девочка будто в норке оказалась. Теплой и безопасной.

— Разумеется. Только еще один вопрос, Маша, последний на сегодня: что делал Евгений Дмитриевич в Адыгее? С кем он там находился?

— Это почти ритуальная, ежегодная поездка на отдых... — ответила Маша из норки Игоревых рук. — У папы есть аспирант — уже давно бывший, теперь он доктор наук. Но он был еще папиным студентом, то есть учился у него в целом чуть ли не десять лет. И все эти годы он приглашал папу на пару недель к себе. То есть он-то приглашал на все лето, но папа был слишком занят, он не мог себе позволить больше...

Кис прекрасно знал эту систему — его друзья-преподаватели (любого профиля, не только врачи) все имели таких верных учеников из регионов. В советские годы студенты-аспиранты привозили своим наставникам деликатесы с родины, кто какие: одни гигантских крабов, другие канистры домашнего вина, третьи фрукты и пряности... По большому счету это были завуалированные под подарки взятки — но врученные столь искренне и почтительно, что никак не могли потревожить совесть преподавателей.

Самое удивительное, что искренность многих из тех студентов с течением лет была проверена и доказана. Пройдя через защиты диссертаций и получив наконец весьма приличный пост у себя на малой родине, они наставников не забывали.

Им уже ничего не было нужно от московских профессоров, могли бы давно забыть их имена-отчества — ан нет, из года в год они зовут к себе на отдых или шлют с оказией «дары края» в Москву...

— То есть Евгений Дмитриевич поехал к своему бывшему студенту-аспиранту, как обычно, погостить?

Маша кивнула.

— И тот дал папе свою машину. С газовыми баллонами.

— С ним можно как-то связаться?

Девушка вынырнула из рук Игоря и через пару минут принесла потрепанную записную книжку — старую алфавитную, еще докомпьютерной эры.

— Вот, — листнула она ветхие страницы, — Алан Бицаев, смотрите, тут его адрес и телефоны...

На странице практически не оставалось места, и номер мобильного был записан красным фломастером поверх какого-то старого московского телефона без кода — видимо, той поры, когда Бицаев жил в столице, учась в аспирантуре.

— Ты знакома с ним?

— Видела несколько раз, папа приглашал его к нам сюда. Толстый и лысый, с большими усами.

— Он действительно был папе другом... настоящим другом?

— Я не знаю. Маленькая еще была, меня тогда за общий стол с гостями не сажали. Но судя по тому, как папа о нем говорил... Он его «Аланчик» называл, ласково так... Думаю, папа считал его настоящим другом.

У Маши закрывались глаза. Она из последних сил поднялась с ними наверх, показала гостевые комнаты, предложила на выбор: с двумя кроватями, стоящими раздельно, — «командировочную»; с одной широкой двуспальной — «супружескую»; и с двумя кроватями, составленными вместе, и одной отдельно: «семейную» для пар с ребенком. Комнаты напоминали гостиничные номера: шкаф с пустыми «плечиками», специальный низкий столик для чемодана, небольшой письменный стол, комод и плоский телевизор на стене. Между спальнями находились просторные ванные комнаты, укомплектованные на все вкусы: ванна, душ, биде и в аккуратном закутке унитаз.

Закончив экскурсию, девушка предложила детективам поужинать внизу на кухне. Как следовало из ее пояснений, каждый из членов этой семьи ел по отдельности в удобное лично ему время, на кухне или в своей комнате. Приходящая повариха с утра готовила несколько блюд, она же следила за наполнением холодильника, обеспечивая доставку продуктов, — так что тот, кто не желал отведать поварихиных котлет, всегда мог сам пожарить себе яичницу или соорудить бутерброд с ветчиной.

— Вы просто откройте холодильник и выберите... что вам понравится... — Казалось, Маша спала на ходу. — Не стесняйтесь, здесь все так делают... Спокойной ночи, детективы.

И девушка исчезла за дверью своей спальни.

Глава 4

ЧЕЛОВЕК КАК МЕГАПОЛИС

К счастью, на огромной кухне никого не было. Шел одиннадцатый час вечера, местные дамы наверняка давно откушали и разошлись по комнатам. Кис открыл здоровущий холодильник и углубился в изучение его содержимого. Они с Игорем изрядно проголодались, и вид пищи вызвал шумный энтузиазм у них в желудках.

Наскоро выбрав какие-то упаковки с мясными нарезками, детективы нашли хлеб, огурцы с помидорами — настрогали простой салат, соорудили бутерброды, заварили чай — и наконец уселись за большой стол в центре кухни.

— Кис, — проговорил Игорь, жуя, — мне кажется или в этой истории все сказочно удачно сложилось для убийцы? Адыгея, горы, газовые баллоны... Он, что ли, ждал, пока академик туда отправится в гости к бывшему студенту? Или студент-аспирант сам решил избавиться от благодетеля? Или ему заплатили, например... Но главное, что декор — мечта киллера. Меня это как-то смущает.

— Так чего смущаться-то? Мы решили, что верим голубиному письму и, стало быть, исходим из того, что ДТП было подстроено. Отсюда легко предположить: убийца ждал подходящего момента. А коли Донников ездил в Адыгею каждый год — о чем знали все, — то удачней момента не придумать. Остается понять, причастен ли Алан Бицаев к смерти наставника — или кто-то поехал вслед за академиком и подстроил его падение в пропасть. Но интуиция подсказывает мне...

— Ты же не веришь интуиции, Кис! — подколол Игорь.

— Потому что она, шалава, ошибается иногда. Разве можно ей доверять в таком раскладе? Это как с женщиной: станешь ли ты ей верить, если она изменяет тебе только иногда?

— Тоже верно. Так что тебе шалава говорит?

— Что не Бицаев убийца. Не потому, что он благодарный ученик, нет, — мало ли, какой у этого чувака мотив мог оказаться, но...

— И какой же? — не согласился Игорь. — У него фальшивые ученые степени, и он боялся разоблачения? Даже если представить, что Донников ему крупно помог с диссертацией и с защитой, — ну кого такая правда может испугать в наше время? У нас даже депутаты имеют фальшивые дипломы, научные степени и публикации. И что? Все по-прежнему на своих местах, никого за подлог не наказали. И этот Бицаев, будь он сто раз тупица, не способный написать ни строчки, — кому до этого дело, кого этим удивишь в наше время? Тем более что, если верить прессе, в кавказских республиках коррупция выше, чем в среднем по России... И в любом случае это не повод убирать академика.

— Согласен, но могут существовать другие мотивы, мы ведь о Бицаеве ничего не знаем. Дело в другом: он слишком на виду. Академик приехал в гости — к нему. Ехал по горной дороге от него и на его же машине. Если мужик не полный идиот, то не стал бы так подставляться.

— И что мы делать будем? В Адыгею полетим?

— Зачем, Игорь? Место происшествия уже травкой поросло, ничего мы там не добудем. А с Аланом Бицаевым можно поговорить и по телефону.

Алексей дожевал последний бутерброд, допил чай. Сейчас бы сигаретку!.. Но он бросил курить с рождением двойняшек и стойко сопротивлялся неутихающему искушению затянуться после еды.

— Не поздно ли? — усомнился Игорь, глянув на часы. — Уже одиннадцать. Если разницы во времени с Адыгеей нет.

— Разницы нет. Но все равно звонить поздно... в обычных случаях. Только у нас необычный. Вот его номер, — раскрыл он старую записную книжку, данную Машей, на букве «Б», — продиктуй мне.

И принялся нажимать на кнопки.

Кис придерживался легенды, выработанной с Машей. Он-де бывший одноклассник, вот решил навестить старого друга, а тут такая петрушка вышла... Как же могло случиться, как же произошло, как же, как же?

Мужчина на том конце провода говорил с сильным кавказским акцентом, цокал языком и произносил что-то похожее на «вах-вах-вах», посыпал голову пеплом — ведь на его машине академик попал в ДТП! «Машина что — машина ничто! А вот беда, какая беда: учитель мой, наставник, благодетель, мир праху его, погиб!»

Алексей сразу понял: этот чувак правды не скажет. Слишком много восклицательных знаков. Посему даже не стал задавать другие вопросы, хотя у него уже образовался целый списочек. Просто пожелал Алану Бицаеву доброй ночи и отключился.

— Что? — напрягся Игорь.

— Врет. Чего-то боится. Или кого-то.

— Может, с местной полицией связаться? Они ведь были на месте ДТП и свидетелей всех опросили...

— Тебе тоже спать пора?

— Нет... Почему это? — обиделся Игорь.

— Тогда включи мозги. Наше расследование — секретное. Так захотела Маша, потому что об этом просил в письме... хм... типа ее отец. Убийца не должен знать, что мы пытаемся что-то разворошить, иначе, сам понимаешь...

— Придется нам тоже письма с того света писать? — хмыкнул Игорь.

— Нет, мы эсэмэски друг другу будем посылать, — буркнул Кис. — «Ау, я в девятом круге!» — «Че, правда? А меня в десятый поселили!»

— Ошибочка. Десятого круга нет.

— Откуда знаешь? Ты там был?

— Ну, у Данте нет. Всего девять.

— То у Данте. А нам могут и десятый организовать, персональный... — Алексей улыбнулся, но как-то кривовато вышло.

— Вообще все это неожиданно серьезно, — проговорил Игорь. — Начиналось почти как шутка, а оказалось делом нешуточным... Кто-то много трудов положил, чтобы убрать Донникова. Подстроить несчастный случай дорого и сложно. За дело наверняка взялся крутой профессионал, так что убийца у нас раздвоился: исполнитель и заказчик. Согласен, Кис?

— Полностью. И заказчик не отсюда, не из дома. Такое никому из здешних не по зубам. Даже если у кого-то на уме и была мыслишка, что смерть академика ему (или ей) на руку, — то нанять киллера-профи не просто дорого, нет, к нему еще доступ нужен. Они на столбах не вешают объявления с бахромой телефончиков: «Опытный киллер готов выполнить ваш заказ качественно и в кратчайшие сроки»... Подобные спецы редки, обычному человеку при всем желании контакт с ними не нарыть... Заказчик тот, кто крупно, очень крупно выигрывал от смерти академика, или для кого Донников стал чем-то опасен, опять же *очень*. Короче, ставки тут высокие.

— То есть искать будем в сферах, связанных с его медицинской деятельностью, — подытожил Игорь.

— Именно. И задачка эта будет ой какой непростой... Надеюсь, Саша поможет с информацией, — с этими словами Кис вытащил из кармана мобильный и принялся набирать домашний номер.

Александра — журналистка, у нее есть доступ к таким источникам, о которых простые смертные даже не подозревают: зарубленные по каким-то соображениям статьи, не пошедшие в эфир интервью и всякие прочие черновики. Еще у нее есть друзья и приятели среди собратьев по цеху — те, которые готовили материалы о предмете и были знакомы лично с академиком. Иными словами, жена у детектива — бесценный источник информации и не раз выручала его в сложнейших делах.

— Я намеревался еще со всеми садовниками-огородниками завтра переговорить, — продолжал Кис, прижав трубку к уху, — но теперь время не стану тратить. Хотя... Стану. Всех надо будет опросить. Донников мог что-то подозревать. Занято, — сообщил он, поглядев на экран своего телефона. — Ведь убийство готовилось, планировалось, кто-то уже строил козни против него, и он мог ощущать неладное, беспокоиться и даже догадываться — а то и точно знать! — где камень преткновения, кому он дорогу перешел... Домашние и прислуга могли его состояние заметить, какую-то фразу услышать... Надо подумать, как подъехать к домашним, не выходя из роли «школьного друга»...

Детектив повторил набор, и Александра ответила.

— Сашенька? Не разбудил?

Алексей приложил все силы, чтобы голос его прозвучал как обычно.

...Игорь отошел в сторонку, чтобы не мешать. Его неизменно удивляло, что шеф разговаривает со своей женой так нежно и бережно, будто они только-только расстались после первого свидания, будто ему еще предстояло завоевывать эту женщину. Удивляло и — отчасти — восхищало. Но отчасти и раздражало: эти двое были почти все время неприлично счастливы. Игорю казалось, что они никогда не ссорились, всегда относились с пониманием к внесемейной занятости каждого, считались с усталостью и мелкими капризами (крупных они себе не позволяли, интеллигентные люди!) друг друга...

При этом в их отношениях не было ничего показного. Ничего из разряда «*смотрите и завидуйте*!», что написано, к примеру, на лицах многих звездных пар. Игорь это выражение очень хорошо знал. Оно сияло победной улыбкой на лице его матери, когда она выходила в свет с его отцом, богатым и талантливым ученым, — до тех пор, пока ей не надоело притворяться. Надоело же ей притворяться тогда, когда она нашла партию получше. И ничто уже не могло удержать Жар-птицу (так называл мать маленький Игорь) — ни сын, ни разбитое сердце мужа...

Как вовремя распознать, что тобой манипулируют? Вот Кристина якобы чувствует себя обязанной Игорю за спасение. И потому даже не смеет настоять на своем. Лишилась собственного мнения. И как же узнать, Криску взаправду так переклинило? Или она с помощью этого хода пытается им, Игорем, манипулировать?!

Он хмурился и теребил подбородок, не находя ответа.

— Ты что такой смурной?

Игорь и не заметил, как шеф закончил разговор с женой.

— Да так... Задумался.

— Понятно, — Кис проницательно посмотрел на ассистента, но развивать тему не стал: сейчас неподходящее время для беседы о странностях любви. — Саша подберет материалы к утру.

— У тебя идеальная жена.

Алексей посмотрел на парня удивленно. Никогда раньше Игорь не выдавал подобных характеристик. Он прекрасно относился к Александре, уважал ее, но таких... А-а-а, это его мысли о Криске терзают!

Кис усмехнулся:

— Саша не всегда была такой.

— Какой?

— *Идеальной*. Просто наступил момент в ее жизни, когда она решила ею стать.

— Сознательно? Вот так взяла и решила?

Кис кивнул.

— А до этого она была какой?

— Хм... Я, пожалуй, слова не подберу... — пробормотал Кис. Не называть же любимую жену стервой, хотя несколько лет назад именно так Алексей ее и характеризовал.

— «Плохой девчонкой»? — улыбнулся Игорь.

— Ну... типа того. А Бицаев не случайно боится, — сменил детектив тему, которая ему не слишком нравилась. Или, скорее, напрягала. С Сашей что-то происходит, а он не знает, в чем дело! И она не говорит. А когда тебе не говорят, то разверзаются пропасти для домыслов... — Знаешь, Игорь, у страха будто есть запах. Ты его чувствуешь, он лезет в твои ноздри — но он не дает тебе возможности определить его природу...

— Думаешь, причастен?

— Скорее что-то знает... А может, боится как раз быть заподозренным в причастности, тогда как он ни сном ни духом. Бывают такие люди, вот у Александры, к примеру, сестрица Ксюша: только при мысли, что ее могут заподозрить в чем-то неприглядном, она уже заливается краской. При этом она совершенно ангелоподобная девица и не способна ни на какой плохой — даже в самом детском смысле — поступок. По крайней мере, на сегодняшний день. Со временем, конечно, все может изме...

— Кристина тоже такая! — перебил Игорь. —

 Кис, слушай, а вдруг я все усложняю? Может, она просто поделилась со мной своими заморочками без всякой задней мысли? Ну вот как люди иногда признаются, что едят по ночам...

— Мальчик мой, — патетически воскликнул детектив, воздев руки к небу, — я же тебе сказал: раз Кристина не выдвигает никаких ультиматумов или требований — значит, все в порядке. Никаких задних мыслей у нее нет, она просто не знает, как справиться со своей чрезмерной благодарностью... Так помоги ей! Скажи, к примеру, что ты не один занимался ее спасением, а еще уйма народу, — и что ж теперь у нее возникнет комплекс повышенной благодарности по отношению ко всем ним? Нарисуй ей абсурдную картину: допустим я, Алексей Кисанов, возглавлявший операцию, которому она тоже чрезмерно благодарна, заявлюсь к ней и скажу: бросай-ка, детка, работу над диссертацией и немедленно приступай к деторождению, — она что, со мной тоже не осмелится спорить? Или привалит к ней отряд спецназа, который брал всю эту мразь, и примется советовать, как девушке жить? А там ребята простые, такого насоветуют, тушите свет. И что, Криска немедленно возьмет на вооружение их ЦУ?

Игорь заулыбался.

— Так-то оно лучше, — Кис похлопал ассистента по плечу.

— Извини, Кис. Я просто...

Неожиданно у Алексея зазвонил мобильный.

— Слушаю.

— Алан Бицаев говорит. Хочу спросить, вы из полиции?

Поразительно, на этот раз голос звучал почти

без акцента и даже в другом регистре, отчего Кис не узнал его с ходу. Он нажал на кнопку громкоговорителя, чтобы Игорь мог слышать.

— Я вам сказал, Алан, я школьный друг Евгения Дмитриевича.

— Или вы журналист?

— Да нет же!

— Откуда у вас мой номер?

— Маша Донникова дала.

— Она рядом?

— Она пригласила меня остановиться у них в доме... Я только что вернулся из длительной заграничной командировки, хотел навестить школьного друга по дороге к себе во Владивосток и тут вот узнал эту ужасную новость... — вдохновенно сочинял Кис. — Но Маша уже ушла спать в свою комнату — она рано ложится, если вы в курсе. Вы хотите, чтобы она подтвердила мои слова? Разбудить ее?

Бицаев помолчал.

— Ладно. Не надо девочку будить, но если вы действительно в доме, то скажите, что находится в большой комнате внизу. Какая там мебель.

— В гостиной?

— Ну да. Когда я жил в Москве, говорили «большая комната».

— Тогда у людей *гостиных* не было, Алан. И спален не было. Гостей принимали там, где по их уходу и почивали... Так что *большие комнаты* выполняли множество функций... Здесь книжные стеллажи до потолка, — Алексей вышел из кухни с мобильным в руке (Игорь последовал за ним, чтобы слышать разговор) и принялся перечислять предметы обстановки, поворачиваясь вокруг своей оси, — низкий столик, четыре кресла, сиденья и подлокотники обтянуты светло-серой кожей... Мебель вся светлая, похоже на березу, не знаю точно... На полу большой серо-голубой ковер... Музыкальный центр...

— Достаточно. Раз вы действительно друг Жени... Маша вам наверняка сказала, что он был моим преподавателем, а потом научным руководителем на двух защитах, и мы давно с ним подружились, несмотря на разницу в возрасте, и перешли на «ты». Так что не удивляйтесь, для меня он давно «Женя»... Я очень любил его, и раз вы тоже его друг... Я понимаю, у вас возникли вопросы. Они у всех, кто знал Женю. Он был отличным водителем, и теперь все недоумевают, как он мог сорваться в пропасть.

— Именно!

— Я специально проверял вас, потому что если вы журналист... Сейчас пресса такая стала, сами знаете. Раньше бы никто не написал — а теперь журналисты, как гиены, сидят и ждут, что добыча в их вонючую пасть свалится...

— Простите, Алан, я не уловил мысль.

— Мысль такая, что мне репутация друга дорога, не хочу, чтобы ее растащили на клочки гиены эти. Вам скажу — а ни полиции, ни журналистам не сказал. И вы никому не говорите. Обещаете?

— Обещаю. Но о чем вы? — начал терять терпение детектив.

— Накануне мы праздновали день рождения моей дочери. Ей шестнадцать исполнилось, собралась семья, друзья пришли, мы пили вино... Потом домашнего коньяку добавили... А под конец кто-то из гостей попросил молодого вина — оно только-только перебродило, я даже не отфильтровал еще, но у нас, знаете, так принято, чтоб дорогим гостям во всем угодить, любую прихоть исполнить... И с утра голова болела у всех.

— То есть... — Алексей настолько не ожидал подобного поворота в разговоре, что с трудом верил услышанному, — вы хотите сказать, что Женя был с... с бодуна?! И поэтому он не справился с управлением?!

— А как еще объяснить? Молодое вино, да после всего выпитого... Женя утром собрался в город за покупками, хотел устроить для меня и некоторых наших друзей пикник. Вернее, пикник собирался устроить я, у меня все уже было — и мясо, и овощи, и вино, но Женя очень щепетильный, он обязательно хотел что-то сам купить... Я ему сказал: «Женя, вернись в кровать, проспись, не искушай судьбу». И как в воду глядел... Но он разве послушает! Хоть мы и друзьями стали, но Женя — авторитет для меня непререкаемый, по возрасту и по положению. Учитель ведь. Я не смог настоять...

Алексей опешил. Он поверил голубиному письму, поверил в то, что ДТП подстроено, а тут ему предлагают банальную пьянку в качестве объяснения?!

— То есть вы, Алан, не предполагаете никакого другого объяснения происшествию?

— А что же еще? — Голос Бицаева напрягся.

— Вы сами не видели, что случилось? Вас не было на месте ДТП, я верно понял? Вы в это время где находились?

— Не верите мне, — усмехнулся Алан Бицаев. — Ну да ладно. На вашем месте я бы и сам никому не поверил. С момента Жениного отъезда я находился дома, мясо мариновал для шашлыка, который мы вечером собирались жарить на пикнике у озера. Мне помогали жена и дети. Взрыва я не слышал, он произошел довольно далеко от нашего поселка, а в доме у нас людно и шумно. Свидетелей пожара не оказалось, машины здесь у нас редко проезжают, дорога ведет лишь в поселок. Да и то с шоссе дно пропасти не увидеть. Но взрыв привлек к себе внимание моего соседа, он как раз возвращался к себе домой. Это случилось около одиннадцати утра. А Женя выехал от меня в десять. Он не любил рано вставать, у него будто комплекс был по отношению к студенческим годам, когда не удавалось выспаться, и он всегда устраивал свои дела так, чтобы раньше девяти не просыпаться... В полиции сказали, что, судя по тому, до какой степени все выгорело, ДТП случилось не меньше чем за тридцать—сорок минут до взрыва.

— Машина у вас была с газовыми баллонами, Маша сказала... А какой модели, если не секрет?

— «Ауди А6», трехлетка. — Алексея позабавило слово «трехлетка»: так о лошадях говорят. — Газово-баллонное оборудование я устанавливал сам. То есть не сам — в мастерской, конечно.

— Алан, а вам не приходила мысль, что кто-то мог намеренно повредить вашу «Ауди»? Испортить тормоза или что-то еще? Ночью, к примеру, когда вы все крепко спали после празднования дня рождения дочери... Машина у вас в гараже обычно стояла?

— Если я правильно вас понимаю, вы намекаете, что кто-то хотел Жениной смерти?

— Не намекаю. У меня нет оснований так думать. Просто проверяю на всякий случай, могло ли подобное случиться. Я не из полиции, клянусь, но мое логическое мышление требует ответов.

— Ладно, я не против, у меня тоже вопросы... В гараж я «Ауди» редко загоняю... загонял. Только если дождь. Обычно она стояла во дворе перед домом. Двор окружен забором, хотя перебраться через него можно. Но никто бы не подумал ко мне лезть, и знаете почему? Потому что у меня две кавказские овчарки, у соседей тоже собаки — шум бы подняли. Да и покусали бы чужака.

— Что ж, спасибо, Алан. Извините, что задавал неприятные вопросы.

— Да какие дэла, дарагой, — запустил снова кавказский акцент в свою речь Алан Бицаев, — всэгда рад памочь харошему человэку!

Алексей отключился и посмотрел на ассистента.

— Как там твоя *шалава* поживает? — поинтересовался тот.

— *Шала*... А, интуиция! Обалдела, потеряла дар речи, пребывает в полной прострации. А ты что скажешь?

— Не знаю, — покачал Игорь головой. — Насчет бодуна вышло убедительно. И полиция небось свидетелей — участников попойки — опросила. Представить, что все они в сговоре, не то чтоб совсем невозможно, но сложно.

— Может, мы ошиблись в выводах насчет письма? Я счел, что на такие сложности с его доставкой Маше мог пойти только человек, который действительно имеет основания считать, будто Донникова погубили.

— И я с тобой согласился. Мы рассудили

 логично и *психологично*, как ты любишь выражаться.

— Однако помнится, мы еще говорили о том, что Автор Письма мог неверно интерпретировать некую информацию, в силу чего сделал неправильный вывод. И этот вариант пока никто не опроверг. К тому же мы совсем не затронули гипотезу, что он просто любитель теории заговора.

— Кис, ты расстроился, вижу. Но подумай, пьянка пьянкой, однако она не исключает вероятность чужого присутствия на дороге. Представь, что Автор Письма прав. В этом случае, помнишь, я говорил, что могли вывести из строя либо машину, либо водителя, академика. Но тогда я не знал про Адыгею. Там горы, и это дает нам еще одну возможность: его кто-то подстерег на горной дороге. Выскочил из-за поворота, напугал, вынудил свернуть... Когда на тебя мчится машина, ты уклоняешься от нее инстинктивно — раньше, чем сообразишь, что уклон твой ведет в пропасть... Как ты считаешь?

— Или злоумышленник ударил в «Ауди» Бицаева. Это сложнее, водитель должен был иметь мощную машину — более мощную, чем «Ауди А6», а она отнюдь не малышка, — чтобы не потерять управление и самому не слететь с обрыва. Но заметь: в обоих случаях — напугал ли этот человек академика или столкнул его — он должен быть асом. Профи. Давай-ка посмотрим спутниковые снимки на Гугле.

Игорь сходил к машине и вернулся с ноутбуком. Сыщики уселись за столом в кухне, включили комп. Алексей продиктовал название поселка, где жил Бицаев, почерпнутое из старой записной книжки академика, Игорь ввел данные в окошко поиска.

— Что ты хочешь там увидеть? — спросил он шефа.

— Тот, кто отправил академика в пропасть, должен был поджидать его на дороге. Он откуда-то знал, что Донников поедет по ней в данный день и данное время, — но пока не будем зависать над этим аспектом. Для начала я хочу убедиться, что убийца чисто физически мог где-то прятаться, подстерегая жертву. От этого зависит жизнеспособность нашей гипотезы.

— Не понял.

— Ну, смотри: по словам Бицаева, академик выехал от него в десять утра. А около одиннадцати раздался взрыв, который услышал его сосед, возвращавшийся домой. Сосед, видимо, вышел из своей машины, посмотрел вниз — и увидел горящий остов. Он и вызвал полицию, надо думать. Полиция, осмотрев место происшествия, установила, что до взрыва машина уже горела, и долго, поскольку выгорело все: и тело, и железо... Это заняло как минимум полчаса — так сказали Бицаеву. *Около одиннадцати* — будем считать, что это без десяти одиннадцать. Теперь отнимем полчаса пожара — итого десять двадцать утра. Но машина, скорее всего, загорелась не сразу... Она вообще не должна была загореться, даже после мощного удара, но мы теперь знаем, что Бицаев отдавал «Ауди» в мастерскую для установки газобаллонного оборудования, то есть в нутро машины залезали наши «умельцы»...

— И *две крутки не докрутили,* — дополнил Игорь.

— Как водится... Получается, что академик к

 моменту падения в пропасть проехал совсем небольшую часть пути. Точнее определить невозможно, мы не знаем скорость, с которой он ехал. Но на горной дороге особо не разгуляешься, так что Донников все еще находился в высокой части дороги, что обеспечивало убийце мощный удар при падении машины... Город, куда Донников собрался за покупками, находится на равнинной местности, смотри, — Кис указал на экран, — а «Ауди» сорвалась в пропасть примерно здесь... Так что убийца должен был прятаться поблизости — из города, будь у него даже прослушка сотового академика, он бы не поспел: Донников уже спустился бы на равнинную часть... А в поселке убийца не посмел бы припарковаться: чужака бы сразу заметили и запомнили, а то и спросили, какого черта тут делает... Поэтому я и говорю: он должен был подстерегать Донникова на дороге. Но если там спрятаться негде — то и гипотеза наша не годится. Увеличь, Игорь... Еще немножко...

— Больше не получается. Гугл такими местами не интересуется.

— Однако же видно, что... Смотри, вот здесь, здесь и здесь — на дороге видны «карманы». К тому же на обочине зелено — деревья или кусты. Убийце это на руку, его автомобиль мог там притаиться. И если убийца сумел подключиться к геолокализатору «Ауди» Бицаева... или к сотовому академика... То он отслеживал траекторию машины и точно знал, в какой момент ему следовало выскочить наперерез.

— То есть гипотезу об убийстве мы удерживаем?

— Она вполне правдоподобна, как мы сейчас

в этом убедились. И потом, Маша... Уже только ради нее я буду — мы с тобой будем — искать до последнего. Пока не найдем. Или окончательно не упремся лбом в стену.

На лестнице горел неяркий подвесной светильник, имитация старинного уличного газового фонаря в черной чугунной оправе — дежурный свет. Все спальни находились на втором этаже, и если бы кому приспичило спуститься вниз среди ночи, то не пришлось бы искать в темноте выключатель.

Детективы тихо поднялись по лестнице и... удивились, увидев на верхней ступеньке грузную женскую фигуру в пестром коричнево-красном платье с отложным воротником. Ее лицо казалось вылепленным из мягкого сдобного теста. Белые отекшие ноги были обуты в бархатные коричневые тапочки.

Женщина явно поджидала их, приветливо улыбаясь.

— Вы Машунькины гости? Женечкины школьные друзья?

— Да... — несколько растерялся Алексей, не понимая, с кем имеет дело. — Друг, собственно, я, а это мой сын.

— Я Анна Ивановна, компаньонка Елизаветы Николаевны.

— Елизаветы... Николаевны... А, бабушки!

— Женечкиной мамы, — кивнула Анна Ивановна. — Она приглашает вас к себе, если не сочтете этот час слишком поздним. У нее бессонница, знаете, как бывает у старых людей, так что ей в самый раз гостей принимать. Она хочет с другом Женечки познакомиться, для нее это важно, понимаете... Она очень страдает, бедная. У меня сердце плачет, когда на нее смотрю... Но если вам уже поздно, то...

— Я с удовольствием, почту за честь. А мой сын пусть идет отдыхать. — Алексей полагал, что ночные посиделки с бабушкой молодому человеку неинтересны, а если там есть что ловить, то детектив выловит сам. — Он у меня спортсмен, привык к режиму. Ты какую комнату выбрал? — обратился он к Игорю.

— Без разницы. Пусть будет эта, — указал он на первую из «гостевых».

— Отлично. Я во второй тогда переночую.

— Ага, правильно. А то ты храпишь по ночам, пап, — с непередаваемо тонким ехидством ответил ему ассистент.

Отомстил, хе. Пару недель назад Игорь вернулся с мальчишника, где он, всегда аккуратный с алкоголем, невзначай перебрал, — а Кис как раз засиделся у себя в кабинете допоздна и остался ночевать на Смоленке. А на следующий день имел неосторожность сообщить ассистенту, что тот храпел, как целый полк солдат.

Отвечать на подкол Кис не стал, в ответ лишь снисходительно улыбнулся, как полагается мудрому любящему папаше.

Анна Ивановна указала детективу на приоткрытую дверь, из которой струился неяркий свет:

— Прошу вас.

Алексей ступил за нее и понял, что тут не просто комната — тут апартаменты. Он оказался в небольшом коридоре, в народе называемом «предбанником», в который выходили три другие двери. Анна Ивановна, обойдя детектива, раскрыла перед ним одну, и в комнате, мягко освещенной несколькими настенными светильниками, Алексей увидел женщину в бархатном брючном костюме темно-малинового цвета, сидевшую на широкой кровати, полной цветных, бархатных же подушек. На голове ее была шифоновая косынка, повязанная как широкая лента, из-под которой выбивались короткие светлые кудряшки, причем не седые, а русые, что Елизавету Николаевну молодило. Как и одежда, впрочем.

— Проходите-проходите, спасибо, что согласились развеять мое одиночество, — слабо улыбнулась ему Елизавета Николаевна, протягивая бледную руку для поцелуя. — Как, вы говорите, ваше имя?

— Константин, — Алексей почтительно коснулся губами суховатой кожи.

— А фамилия?

Ох ты ешкин кот! Кис допустил оплошность, не изучил как следует страницу академика в «Одноклассниках». И теперь ему придется туго, похоже...

— Костя Чебыкин, — выпалил Алексей, неожиданно вспомнив чью-то фамилию на сайте.

— Не припомню... Память стала меня подводить... Врач говорит, это из-за шока, что пройдет, память восстановится, но в моем возрасте... — Она покачала головой с сомнением. — Где-то Женечкины фотографии есть школьные, вы ведь тоже должны быть на снимке, да?

Может, память и вправду начала подводить Елизавету Николаевну, но живая мимика, ясный взгляд не позволяли усомниться в ее умственной полноценности. Более того, детективу показалось, что бодрая старушка его проверяет.

— Разумеется, — кивнул он, холодея. Если бабушка сейчас найдет старые школьные снимки, то Кис вряд ли отличит на них Костю Чебыкина!

— Аня, где у нас детские Женечкины фотографии?

— Ой, Елизавета Николаевна, альбомы в библиотеке, не буду я их посреди ночи искать!

— Ну ладно, с утра тогда найди. А ты, Костя, садись, садись, — и она указала на кресло, обитое вишневым шелком.

Кажется, пронесло, подумал Алексей, усаживаясь. К утру он успеет изучить фотки класса на сайте.

— Жизнь пролетела, я и не заметила... — печально продолжила Елизавета Николаевна. — Вроде бы вы только вчера были школьниками, а мы, родители, молодыми и красивыми — как вдруг, нате вам, мы стали старыми, а вы, детки, сделались пожилыми... Какой нонсенс, вы только вслушайтесь, Костя! *Пожилые дети*... Вы, кстати, хорошо выглядите для своих лет. Моложе моего Женечки. Вы какого года?

И снова Алексей чуть не попался: он действительно моложе академика, но в качестве его одноклассника должен иметь тот же (плюс-минус один) год рождения!

— Одного с Женей. Кстати, я его в школе Жекой звал, — поторопился детектив увести разговор в сторону. — А то, вы уж не обижайтесь, но «Женя» похоже на «жена». Мне это не нравилось. Почему вы его так назвали?

— В честь моего отца... Мне никогда не приходило в голову сопоставить эти два слова. Даже странно слышать, — поджала губы Елизавета Николаевна.

Черт, неловко получилось, спохватился детектив.

— Извините. Пацаны всегда немножко чокнутые, просыпающаяся сексуальность колошматит мозги, — улыбнулся он.

— Это вы *мне* рассказываете?! Я всю жизнь проработала педиатром, уж мне ли не знать, как гормоны влияют на психику подростков!

— Так вот почему Жека подался в медики! Это наследственное! — Детектив обрадовался смене темы.

— Отец его, Дмитрий Ильич, тоже врачом был, к вашему сведению, — строго произнесла Елизавета Николаевна, — дерматологом. Женя рос в семье медиков, и неудивительно, что он выбрал медицину в качестве профессии. Но, скажу я вам, хоть он и пошел по нашим стопам, однако куда дальше нас, родителей. Он видел, мой мальчик, как к вечеру я не могла разогнуть спину, весь день наклоняясь к деткам. А отец целыми днями грибки да прыщи рассматривал, к концу рабочего дня у него аппетит пропадал, и по ночам ему разные поганки снились... Это он так называл всякую нечисть на коже, мой муж: «поганки». Сын насмотрелся на нас, потому и захотел стать в медицине «белым человеком». Пошел в аспирантуру, занялся наукой... Учеба далась ему легко — он уже и так почти все знал, подрастая между двумя медиками. Защитил одну диссертацию, затем другую, стал доктором медицинских наук и профессором. Но все это время, все эти годы он вынашивал свою идею. Она, в принципе, вроде не особо-то оригинальна, даже далекие от медицины люди об этом так или иначе слышали: организм — это единая экосистема, и лечить надо не болезнь, а организм в целом, включая психику. Однако слышать-то слышали, а практического применения этой благой идее так и не появилось. А Женя создал собственное учение и на его базе лечение.

— *Учение*? — удивился детектив. — Так вроде бы, вы сами сказали, оно уже давно существует?

Кис подал реплику просто так, для поддержания беседы. Но Елизавета Николаевна отнеслась к его словам крайне серьезно. Она покачала неодобрительно головой, затем устроилась поудобнее в подушках и приступила к лекции.

— Организм человека — это мегаполис. Огромный город, где уживаются (вынуждены уживаться!) разные этносы, у которых совершенно разные задачи и стремления. Наши собственные живые клетки, пришлые бактерии и грибки (это из разряда «понаехали тут») — все это мы. Клетки одного органа не похожи на клетки другого ни по структуре, ни по функциям — они разные этносы, с разными языками и обычаями. Все наши болезни на самом деле — от неслаженности этого громадного общежития. Вавилонская башня рано или поздно падает из-за того, что этносы не умеют между собой договориться. Если бы могли навести порядок в мегаполисе своего организма — мы бы могли жить вечно... Или почти.

Поэтому относиться к своему организму нужно не как к какой-то целостности, которая работает сама по себе, — напротив, к нему нужно относиться, как мэр относится к вверенному ему городу. Это огромное хозяйство, и за всем надо следить — ему. Получать отчеты, направлять средства на строительство, ремонт, развитие различных сфер жизни города, на поддержку неимущих или малого бизнеса... И врач должен вести себя как мэр. Исследовать мегаполис организма пациента по всему спектру, как это делал Женя, — он еще шутил, что делает полный аудит. И исправлял любую неполадку, которую находил, будь то баланс электролитов или состав микрофлоры кишечника, набор ферментов или гормональный фон... не буду вас утомлять медицинскими рассуждениями. Жене быстро удалось доказать эффективность своего подхода. Он лечил не болезнь — он исправлял организм. При этом случалось, что люди вдруг избавлялись от ранних форм рака, начального диабета и даже аутоиммунных болезней, представляете!

Елизавета Николаевна все говорила, говорила, прошел почти час, и Алексей начал отключаться. Хотелось спать — день был долгим и насыщенным, — но он все еще не задал ей свои вопросы, а перебивать старую женщину не хотел. Он уже стал прикидывать, как бы повежливей откланяться, а с вопросами повременить до завтра, как вдруг его слух уловил фразу: «...тогда она явилась к нам домой, позвонила в дверь и сбежала, а на пороге оставила месячного ребенка...»

Кажется, речь уже пошла о той женщине, которая забеременела от Жени Донникова в его аспирантские годы, Маша о ней упоминала.

— Юлей ее зовут вроде бы? Внучка ваша говорила...

— Юля — это тот самый ребенок. А ее мать, подложившую дитя на наш порог, звали Инной. Мы, конечно, с ней связались немедленно, девочку вернули. Удивительное дело, Инна тогда много кричала о несправедливости, хотя в кровать к Жене прыгнула сама и предохраняться не подумала, то ли по легкомыслию, то ли намеренно, оттого что изначально план имела молодого ученого захомутать. Так что ж потом вину на мужчину валить? Сама должна за свои решения отвечать, вы согласны со мной? Я постоянно удивляюсь, что жалеют всегда женщину, мужчина же вечно выходит скотина и подлец. На самом же деле они, мужчины, просто бедные болваны, которыми женщины с легкостью манипулируют... Если б я не настояла, то Женя и женился бы на ней из чувства вины — а какая его вина, скажите на милость? Что не смог устоять, когда девица к нему в постель по своей воле залезла?! И то, Женечка мой необыкновенной доброты человек, он с Инной этой договорился, что помогать будет материально, хотя мы сами тогда... ну, не то чтоб бедствовали, нет: в конце концов, мы с мужем зарабатывали какие-то деньги как врачи, — но деньги небольшие, лишних у нас не было. И все же Женя решил, что будет отдавать ей свою аспирантскую стипендию. Не вспомню уже, кажется, сто рублей тогда стипендия была, по тем временам больше иной зарплаты. Ну а мы с мужем взялись Женю прокормить. Благородно с его стороны, не правда ли? Вы со мной согласны?

— Полностью, Елизавета Николаевна. Но с

годами отношения, наверное, смягчились? Ваш сын виделся с Инной? С дочерью своей Юлей встречался?

Детектив, назначивший на следующее утро опрос близких, хотел понять, включать ли в список этих «внебрачных» жену и дочь.

— С Инной совсем нет, не простил ей Женя той выходки! А с Юлей... Она странная. В мать пошла, надо думать: ребенка родила без мужа. Я его никогда не видела, Юля его не привозила. Даже фотографию не показывала. Она вообще редко приезжала к нам, сидела в гостиной напряженная, молчаливая и быстро уезжала, не допив чай. Я даже как-то сказала ей: «Ты зачем к нам ездишь? Чего хочешь? Помощь нужна? Так скажи! Общения ищешь? Так общайся! Чего сидеть и молчать, как истукан, какой прок?» А она только зыркнула на меня и не ответила.

— А вне дома они не встречались, как вы думаете?

— Ну что вы. Иначе зачем бы Юля к нам ездила? Да и Женечка сказал бы мне.

— Он ее признал официально? Она является наследницей?

— Признал. А как там с наследством... Не надо про наследство. Я не верю, что Женечка умер. Он просто уехал... в командировку. И он вернется. Обязательно. Я его жду. И Машенька ждет. *Мы его ждем!*

— Понимаю вас, — пробормотал Алексей, толком не зная, как ответить на слова матери, потерявшей сына. — Я бы на вашем месте тоже бы... наверное... так же чувствовал... «Жди меня, и я вернусь»...

Елизавета Николаевна замолчала, чем усложняла детективу задачу. Он не мог вдруг взять и сменить этот скорбный поворот в разговоре, чтобы задать свои вопросы. Однако как вырулить из темы поделикатней, Кис не представлял.

— Я вот тоже не могу поверить... — он вспомнил о своей роли «друга детства» и побрел наугад, — что Жеки нет... Хоть мы и редко виделись, но мы всегда... Знаете, бывает так, что человека не видишь годами, но любишь. И когда встречаешься с ним снова, так будто расстались только вчера. У вас бывало такое?

Алексей говорил правду. Не о «Жеке», конечно, но дружба такого рода ему была ведома.

Елизавета Николаевна кивнула, и Кис перевел дух: ему удалось вполне пристойно уйти от скорбной темы.

— Большинство людей за дружбу принимают тусовку. И за повседневностью общения перестают различать ее качество... Так мне кажется, — продолжил он.

— Любовь. Она одна и та же. То есть суть любви одна и та же. К ней добавляются разные нюансы, как разные приправы к одной и той же пище. Есть любовь родителей, есть любовь детей, сестринская-братская, мужчины и женщины, любовь к друзьям... Тем не менее суть не меняется: это любовь. Я вот старый человек, мои половые гормоны уже давно завяли... что это вы засмущались? Я врач и говорю, как врач. Так вот, гормонов уже нет, а любовь есть. К сыну, к внукам... И ее так много, что однажды она разорвет мое старое сердце.

Елизавета Николаевна опустила веки, будто

занавесом отгородилась. Алексей молчал — что тут скажешь?

С минуту висела тишина. Наконец детектив поднялся:

— Не буду вас больше тревожить, Елизавета Николаевна. Доброй вам ночи.

— Ты ведь что-то хотел спросить? — открыла глаза Машина бабушка. — А я тебя заболтала, Костя. Прости меня, старуху. Я редко людей вижу, у меня дефицит общения, как сейчас говорят, — улыбнулась она. — Так что ты хотел? Или мне показалось?

— Ничего такого... Просто, знаете, мне тоже не верится, что Жека мог так нелепо погибнуть. Не верится, и все тут! Не мог Жека...

Вот он, нужный поворот в разговоре! Кис вышел на него. Сейчас еще пара слов, и он сможет наконец задать свой заветный вопрос, не обидев мать и не вызвав ее подозрений!

— ...не мог он слететь с дороги ни с того ни с сего! — продолжал детектив. — Он любил машину, он отлично умел водить. Нет, тут что-то другое вмешалось... Он был погружен в мысли, в серьезные мысли — настолько серьезные и беспокойные, что они заставили его отвлечься от вождения!

Насчет «бодуна» Елизавета Николаевна не должна знать. Если верить Алану Бицаеву, то он никому об этом не говорил, оберегая память учителя от любителей перетряхивать чужое белье. Значит, предположение «школьного друга» ей покажется вполне разумным, и она подключится к его ходу мысли. Если только, конечно, не скажет снова, что ее сын «уехал в командировку»... Алексей совершенно не представлял, до какой степени эта «командировка» может оказаться реальна в ее воображении.

— Женя не был чем-то расстроен или подавлен в последнее время? Что-то его беспокоило? Вы как мать должны были почувствовать, даже если он скрывал...

Все, он добежал до «финиша». Ленточку разорвал, свой бестактный вопрос озвучил относительно тактично.

— Был он, вы правы, чем-то озабочен. Женя дипломат, умеет скрывать свои чувства, но я ведь мать... — попалась в сети детектива Елизавета Николаевна. — Я эту озабоченность ощущала. Спрашивала его пару раз, но Женечка уверял, что мне показалось, что он просто сосредоточен на своей работе...

— Он не упомянул какие-то сложности? Или что ему угрожали... угрожала... грозила какая-то неприятность?

...Он, Кис, дебил. Полный и конченый дебил. Ну какой, спрашивается, нормальный мужик скажет своей старой матери, что ему угрожают? Чтоб она тут же, на его глазах, скончалась от сердечного приступа после подобного откровения?!

— Э-э-э... — промямлил детектив вдогонку, — я имею в виду, что клиентура у вашего сына была специфическая, люди высокопоставленные, а такие всегда чрезвычайно капризны... Могли немало крови попортить Жене.

— Я же сказала вам: Женечка меня щадил, не вываливал на меня свои проблемы. А что вы, собственно, ищете, Костя? Зачем все эти вопросы?

— Прошу прощения. Я физик, у меня логический склад ума... Это само по себе работает, непроизвольно: пытаюсь понять, как могло...

...Нет, Кис, ты все-таки идиот. Ну куда ты завел разговор, а?! Ты почти уже спросил: *«Как могло подобное произойти?»* И сразу ясно: в несчастный случай ты не веришь, — то есть ты почти прямо говоришь матери, что, по твоему мнению, ее сына убили — или он сам ринулся в пропасть.

— ...В общем, я на автомате перебираю все возможные объяснения произошедшему, потому что, как и вы, не могу в него поверить.

Выкрутился наконец-то. Молодец, садись, три с минусом.

— Так и не надо! — оживилась Елизавета Николаевна. — Говорю же вам, Женечка вернется! Я вижу его иногда в своих комнатах. Я знаю, он мне лишь мерещится, я не потеряла рассудок, не думайте, — но это хороший знак. Потому как это *обратная связь*. То есть сын думает обо мне. А мертвые не могут думать, у них для этого мозгов нет. Я врач, я знаю.

Алексей понял, что больше ему ничего не выловить из беседы с Машиной бабушкой, — но сам факт, что Донников был чем-то озабочен (а его матери детектив верил безоговорочно), очень существенен. Завтра с утра он опросит остальных домочадцев...

Как это он *опросит*? На каком основании? Он — *школьный друг*, а не сыщик и здесь в гостях по Машиному приглашению. Он не может задавать вопросы домашним, иначе это будет выглядеть странно. Тут надо другой ход придумать... Да только какой?

Посидев еще немножко с бабушкой, он наконец откланялся и отправился в гостевую комнату. Принял душ, почистил зубы, выпил стакан воды... А решение все не приходило. И лишь засыпая, он вдруг подумал: пусть всех опросит Маша! Под тем же предлогом, который нашел в разговоре с бабушкой детектив, — мол, папа отлично водил машину, не мог он просто так слетел с дороги, — наверное, глубоко задумался о чем-то... Может, у него неприятности были, он тебе ничего не говорил? Ты ничего такого не заметил (а)? Какие-то страхи, сомнения, беспокойство, ожидания, озабоченность?..

Да, и пусть Маша сошлется на него, *школьного друга Костю Чебыкина*, дескать, он об этом спросил, и я вдруг тоже задалась вопросом...

Да, ничего, сойдет.

Я проснулась. Кажется, в коридоре звучали голоса... А, это Алексей Андреевич. И его ассистент Игорь... Точно! И Анна Ивановна что-то говорит... Все ясно: бабушка собирается отловить гостей и рассказать им свою жизнь. У нее дефицит общения, как говорит наш доктор. Жизнь в большом доме имеет свои недостатки: это жизнь на отшибе. В окно даже соседей не увидишь. Надо будет бабулечку свозить куда-нибудь... А то она после того, что случилось с папой...

Я все пытаюсь понять, что же с ним случилось, — и никак. Папа говорил, что никогда не оставит меня. И он не мог нарушить свое обещание. Папа — человек слова! Я не могу поверить в его смерть, не могу. Он просто уехал в очередную командировку, как говорит бабушка, — в длительную такую командировку... Она все спрашивает, когда Женечка вернется... А я ей отвечаю: скоро, бабулечка, скоро...

Папа-папочка, где ты? Что значили твои слова? Может, и вправду существует какой-то параллельный мир, куда уходят души? Пересечься с нашим он не может, но душа все видит и слышит? Папа еще говорил, что, когда мы страдаем, близким за нас больно. Они смотрят на нас из параллельного мира, бессильные помочь, — даже по головке не погладить!— и страдают сами. Получается, что я, чтобы не заставлять страдать папу, не должна позволять себе страдать сама? Но где же набраться сил?! Где, папа?

Я не могу удержать слезы. И так креплюсь на людях, но наедине с собой могу же я позволить себе поплакать! Если тебе больно это видеть, папа, — ты сам виноват. Я знаю, знаю, — люди гибнут, и никто не спрашивает их согласия. От болезней, от несчастных случаев, по воле убийц... Но ты ТАК поклялся не покидать меня, что я поверила. Будто в твоих силах было решать, когда умереть. Ты властен над жизнью, ты возвращаешь ее людям — почему же не допустить, что ты властен и над смертью!..

Подушка промокла от слез. Где-то есть носовые платки, надо встать. Только не хочется шевелиться.

Ой... Дверь тихо скрипнула. Растворилась: луч слабого света из коридора упал на мою постель. Мне не хочется поднимать голову. От рыданий болит горло. Да и показывать свое опухшее лицо тому, кто стоит сейчас в проеме двери — кем бы он ни был, — я не намерена.

— Маша... — тихо прошептал мужской голос.

Чей голос? Никак не могу сообразить. Делаю вид, что сплю.

— Машенька, — мужчина прикрыл дверь, входя в мою комнату, — я слышал, что ты плачешь... Я могу что-нибудь сделать для тебя?

Это Игорь, теперь я узнала голос. Смешной какой вопрос. Верни мне папу, Игорь, если можешь. Это единственное, что нужно для меня сделать. А если не можешь, то не задавай глупых вопросов...

Он шагнул к моей кровати. Я все лежала, уткнувшись носом в мокрую подушку. Он присел на край. Яся, мой котик, дремавший у меня под бочком, недовольно поднялся и потянулся. Потом покрутился и снова лег, подальше от пришельца.

— Я знаю, ты не спишь...

Игорь передвинулся немного, и его рука неожиданно коснулась моих волос. Я закрыла глаза. Можно представить, что это папа...

Игорь все гладил меня по волосам, и я начала засыпать. Помню, что в какой-то момент я положила голову папе на колени... нет, Игорю на колени... и снова заснула. Мне стало легко, хорошо...

Игорь обрадовался, что Маша не прогнала его, что позволила себя утешить, успокоить. Она даже начала засыпать под его рукой, а потом неожиданно перекрутилась, как это сделал недавно ее котенок, и положила головку ему на колени. Ей снится отец, понятно. Ну, пусть хоть во сне она немного побудет счастлива.

Через прозрачные занавески пробрался лунный свет и осветил Машино лицо — исстрадавшееся лицо маленькой девочки, на которую свалились большие недетские беды.

Но вскоре черты ее разгладились: она заснула глубоким сном. Игорь осторожно переложил ее головку на подушку и вышел из комнаты.

Несмотря на глухую ночь, он решил позвонить Кристине. Долго слушал, как ныли и плакали гудки в трубке, но так и не дождался ответа любимой. Что же творится с ней, насколько это все серьезно? Если Криска намерена с ним расстаться, почему не скажет прямо?

Тоскливо как.

Ему захотелось вернуться обратно в комнату к Маше, обнять ее и баюкать, снова гладить ее светлые волосики. Нет, это не влечение. Это чувство, что он нужен, — чувство, которое он с некоторых пор утратил с Криской, независимой и самостоятельной Криской, которая свою независимость, пожалуй, даже культивировала...

Ночью Алексею снился громадный город — метафора человеческого организма, придуманная академиком Донниковым, — населенный различными этносами, снующими по нескончаемым лестницам и коридорам. Они трещали на сотнях непонятных языков, сталкивались друг с другом, то обнимаясь, то расшибая лбы, а то и хватаясь за ножи. Сон чем-то напоминал ему «Вестсайдскую историю», и даже музыка великого Леонарда Бернстайна отдаленным эхом катилась по улицам фантастического города.

А потом вдруг появился сам академик очень

 большого роста — мегаполис оказался ему лишь по колено, — этакий Гулливер в стране Лилипутии — и веселым басом произнес: «А что удивительного? Это обратная связь. Вы думаете обо мне, а я думаю о вас, потому что у нас есть *чем* думать. Это я вам как врач говорю!»

...Не то чтоб сон был кошмаром, но Алексей обрадовался тому, что проснулся. Зеленый сад, залитый солнцем, куда приятнее глазу и душе, чем мираж безумного города. Некоторое время он стоял у окна, рассматривая обширные угодья академика, — вон там слепит глаза крыша теплицы, а там, правее, ровные грядки огорода расчертили землю; за ними, словно зрители, столпились кряжистые стволы вишен да яблонь; часовенку, однако, и не углядишь среди высоких елей и берез... Маша рассказала вчера, как копали тут когда-то рабочие, рыли траншеи для кустов, фундаменты для домиков, избушек, сараюшек — в общем, перелопатили весть участок, копошась в смачной осенней грязи. *«Четыре черненьких чумазеньких чертенка...»*

На такое имение требуются большие деньги. Даже огромные. Нет, речь не о том, что в него серьезно вложились в самом начале. Проблема в другом: чем больше имеешь, тем больше приходится тратить на обслуживание имущества. Теперь, как ни прекрасен этот участок земли, красота его окупается лишь эстетически, но отнюдь не финансово. Ты у этой красоты в кабале — ты на нее теперь постоянно работаешь, поскольку она у тебя на содержании.

Алексей снова вспомнил метафору академика и свой сон. По крайней мере, этим — землей, ее плодами и людьми, работающими на ней, — ты управляешь. Пока у тебя есть деньги — ты в силе. Ты принимаешь решения. А в «мегаполисе» Донникова ничего не зависит от мэра. И секрет успешного лечения, по мысли академика, заключается именно в том, чтобы мэр вернул себе бразды правления.

Любопытно, очень даже. Надо будет узнать поподробнее о его системе. В ней есть смысл — Алексей ощущал это не столько умственно, сколько интуитивно. Интересно, что Александра скажет. Но ей образ человеческого организма как мегаполиса наверняка понравится, подумал Кис, направляясь в душ.

Глава 5
КРАСОТА НА СОДЕРЖАНИИ

На кухне не оказалось никого из домашних — по крайней мере, из тех членов семьи, которых детектив уже видел вчера, — зато у плиты орудовала бойкая приземистая женщина в темно-синих бриджах и белой с красными горохами кофточке. Крашеные темно-рыжие волосы топорщились в хвостике на затылке. По скорости, с которой в ее руках крутились-вертелись сковородки и кастрюли, ножи и разделочные доски, детектив сделал вывод, что это повариха, о которой говорила вчера Маша. Алексей поздоровался, спросил, где можно найти кофе и печенье. Та быстро вытащила запрошенное, включила кофеварку, метнула на чистый стол чашку с блюдцем и тарелочку с разнообразной выпечкой.

— Остальные уже позавтракали? — поинтересовался детектив.

— Ну вы и скажете! Десятый час, уж конечно!

Кис тихо порадовался, что он может предаться своей трапезе в спокойной обстановке. То есть выпить кофе и съесть несколько печенюшек. И с собой завернуть парочку. Несмотря на призывы разных умников на ниве правильного питания, Кис с утра есть не мог: его организм решительно не принимал пищу. Это было крайне неудобно при его образе жизни, поскольку после завтрака нередко требовалось куда-то бежать, а потребность в полноценной еде накрывала довольно скоро, через час-другой. Отсюда возникла и привычка детектива брать с собой печенье — ша, диетологи!

Интересно, где Игорь? Еще спит? Пошел прогуляться?

— Я тут в гостях... — начал он. — Я школьный друг...

— Да знаю, — кивнула повариха, — тут уже все знают!

— Ладно. Я с сыном приехал, это вы тоже знаете?

— Игорем зовут.

— Вы его видели? Он приходил на кухню?

— Я тут с восьми. То есть, — она посмотрела на часы, — один час двадцать три минуты. За это время не появлялся.

Алексей с трудом удержался от искушения поговорить с поварихой...

— Вас как зовут?

— Люба.

...поговорить с Любой об академике. Заметила ли что и так далее. Но все же удержался: он вчера правильное решение принял — эту роль он отведет Маше.

— А Маша где?

— Тоже не видела. Но она очень рано встает, так что уже давно позавтракала.

Ну ладно. Алексей открыл смартфон: ага, от Саши пришло письмо! Она нашла информацию, которую он просил. Солнышко, выручила. Как всегда.

Читать письмо он предпочитал в компьютере,

на нормальном экране, но нотик остался в комнате. Допив кофе, детектив пошел наверх, стукнув по дороге в дверь комнаты Игоря. Не услышав ответа, он заглянул внутрь: парня там не было. Интересно, где это он прохлаждается?

...Письмо от Саши содержало копии статей и интервью и было таким насыщенным по материалу, что Алексей решил отложить его изучение — иначе полдня уйдет только на чтение. Он поручит это Игорю, а ассистент потом резюмирует информацию, выдаст ее конспективно. Но куда же подевался Игорь?

И Маша. Она ему срочно нужна. В саду, что ли, ее поискать? Погода для конца августа дивная, совершенно не типичная: тепло, сухо, солнечно. В сад так и тянет... И яблоки созрели, кстати. Вчера Алексей краем глаза заметил их румяные бочки позади огорода.

Он спустился, вышел во двор. Снова подивился — теперь уже при свете солнца, — насколько огромен и ухожен участок академика. Правильнее было бы сказать — угодья. Красота на содержании, вспомнил детектив свою мысль. А ведь все теперь рухнет без Донникова... Некому будет финансировать. Тут ведь одних садовников-огородников целая армия, а в доме еще сколько персонала? Компаньонка бабушки, няня малышей Лены, повариха; уборщица наверняка тоже имеется, а еще охранник, шофер... Их содержать больше некому, и этот дом, как и эти угодья... Похоже, еще никто из обитателей дома не осознал, что больше нет финансового источника их благополучия, иссяк. Им скоро придется все это продавать и делить деньги — поместье начала двадцать первого века настигнет участь поместий начала двадцатого. Вишневый сад.

Впрочем, это не его, Алексея Кисанова, заботы. Лучше подведем итоги вчерашнему дню.

Итак, в «голубином послании» говорится: академик умер не своей смертью. Эта информация плюс картина ДТП, сложившаяся из вчерашнего рассказа Бицаева и изучения карт, говорили о том, что на горной пустынной дороге действовал не просто профессиональный убийца, а настоящий автомобильный виртуоз, прямо каскадер. Поэтому долой последние колебания — всех домашних исключаем с чистой совестью. Ни один из них не потянет даже на роль заказчика убийства: найти подобного исполнителя простому смертному не под силу. Это элитарный киллер — и заказчик должен быть элитарным. И мы знаем, где такие водятся: в Заповеднике здоровья. Даже самое беглое чтение материалов, присланных Сашей, оставило у детектива впечатление, что у академика лечились чуть ли не все отечественные политики и звезды — известные на всю страну имена так и мелькали. Вот там и надо искать заказчика. Хотя непонятно, каким образом. Просто так к этому народцу не подъедешь, а тем более в условиях, когда нельзя даже представиться официально как частный сыщик...

Алексей как раз дошел, миновав сверкающую теплицу, до огорода. За ним, в румяном яблоневом раю, слышались голоса Маши и Игоря.

...Сейчас одна надежда: вдруг домашние что-то приметили, что-то услышали (или подслушали!). Обрывок разговора, произнесенное имя — что угодно, лишь бы найти хоть малюсенькую зацепку. И для этого ему срочно нужна Машенька.

...Эти двое рвали яблоки, складывая их в корзину, и выглядели такими блаженными, что Кис озадачился. Маша чему-то смеялась, он видел сквозь ветки ее лицо, обращенное к Игорю, и в этом лице, в этом смехе острыми осколками сверкала боль — Алексей ее ощущал столь отчетливо, как если бы Маша не смеялась, а рыдала. Причем рыдала в плечо Игоря, которому решилась свою боль доверить. И когда это девочка, по-королевски владеющая собой, успела с ним так сблизиться?

Впрочем, какое его дело, собственно? Конечно, Кристину Кис любит, и ему будет жалко, если они с Игорем расстанутся, — а как же, ведь он, великий детектив, ее спас. Умным людям хорошо известно, что вовсе не спасенные любят своих спасителей — нет, тут все наоборот. Это спаситель-благодетель питает нежные чувства к тому, кто стал объектом приложения его исключительной хорошести: Доброты, Мужества, Бескорыстия (недостающее вписать, как водится). И снова и снова спаситель-благодетель жаждет видеть этот объект, он его опекает и лелеет — потому что чувство благодарности, вспыхивающее каждый раз в глазах объекта, льет елей на его тщеславное самолюбование. Так ведь приятно заново ощущать себя человеком Подвига!

И Герой, сам того не замечая, становится вымогателем, требуя вновь и вновь благодарности у своей спасенной... жертвы.

А вот объект этот бедный, жертва подвига, устает от собственной благодарности. Устает от негласной, но ощутимой обязаловки ее постоянно выражать. Благодарность обременяет и может легко мутировать, превратившись если не в ненависть к спасителю, то, по меньшей мере, в стойкое желание больше никогда его не видеть. Видимо, это и происходит с Кристиной...

Игорь, конечно, человек деликатный, он никогда ничем не напоминает Кристине о том, как все стояли на ушах в тот безумный день ради нее. А уж Кис тем более молчок — он вообще перекинул роль спасителя на Игоря. Так что никакого парада тщеславия с их стороны нет, даже намеком. Однако Criска — человек по природе благодарный, она сама генерирует эти порывы признательности... Подсознательно. И сама же от них устает, м-да...

В общем, Криску Алексей нежно любит и считает, что они с Игорем отличная пара, — но это же *он* так считает. А Кристина, наверное, считает иначе...

— Алексей Андреевич! — раздался детский Машин голосок. — С добрым утром. Какой день хороший, правда?

— Тсс, — приложил палец к губам Кис, — я Константин Чебыкин, одноклассник твоего папы. Вчера ты представляла меня без фамилии, обошлось, но бабушка расспрашивала меня с пристрастием, и пришлось соврать. Теперь будем придерживаться этой версии, ясно? Игорь, не забывай называть меня «папой»; а ты, Машенька, Константином Алексеевичем. Не знаю, какое отчество было у Кости, но я ему дал свое.

— Это хорошо, так легче запомнить, — улыбаясь, прошептала Маша.

— Надо кое-что обсудить, пошли в дом.

Они занесли корзину с яблоками на кухню, отдали поварихе — та принялась немедленно их мыть и раскладывать во фруктовые вазы, — а сами поднялись наверх, в комнату Алексея.

— У меня есть предположение... — сообщил Кис и вдруг сделал паузу. — Маша, давай сразу договоримся о тезаурусе. Кажется, ты употребляла это слово недавно — то есть понимаешь, что оно означает.

— Ну конечно, Константин Алексеевич, — с ехидцей произнесла Маша новоизобретенное имя детектива, — я девушка образованная. Тезаурус — это словарь слов и их значений, используемых в пределах конкретного текста.

— Превосходно сказано. Так вот, в пределах *моего текста* слово «предположение» означает то, что означает, без вариантов.

— То есть у вас есть лишь *гипотеза*, господин Че... Как там? Че-бы-кин, — рассмеялась Маша.

— У меня есть предположение, и оно пока даже на *гипотезу* не тянет! — поднял указательный палец вверх Кис. — Поскольку гипотеза имеет цепочку умозаключений, хотя бы короткую, а у меня пока что одноклеточное, как инфузория-туфелька, предположение: в смерти Евгения Дмитриевича заинтересован некий человек из его деловых медицинских кругов. Неважно, что именно они не поделили, — главное, там есть что делить. Клиентура у них богатая и влиятельная, а это дает деньги и связи, на которых строится высокий престиж врача... Но подобраться к ним, кругам этим, будет чрезвычайно сложно. Особенно если учесть, что я не могу вести расследование официально. Поскольку в письме... — Кис запнулся: произнести слова «*от твоего папы с того света*» было выше его сил, слишком дико звучало, — в письме, которое принес голубь, было четко сказано, что расследовать нужно *тайно*. И это не блажь, ни в коем случае. Автор Письма знает гораздо больше нашего и уверен, что открытое расследование растревожит осиное гнездо... Так я думаю.

— А как же тогда? — подняла светлые бровки Маша.

— Пока попробуем выяснить, не обронил ли твой папа какую-то фразу, отражающую его беспокойство. Начнем с тебя: в последнее время он был чем-то озабочен? Напряжен? Расстроен? Излишне задумчив?

Маша отрицательно помотала головой.

— Он говорил по телефону чаще обычного?

— Не знаю. Папа бóльшую часть времени проводил в своем кабинете. Если и звонил, то не при мне. И со мной своими тревогами он бы ни за что не поделился, он меня оберегал.

— Хорошие родители так и делают, — одобрил Кис. — Мы можем осмотреть его кабинет?

— Я не возражаю. Но лучше сделать так, чтобы ни Лена, ни бабушка не видели. Иначе придется спрашивать разрешения у них, а это чревато расспросами, зачем да почему. Когда я говорю «бабушка», я имею в виду Анну Ивановну, — сама-то бабуля днем больше спит. Но компаньонка ей обязательно доложит, если увидит, как мы поднимаемся в кабинет.

— *Поднимаемся*?

— Он в мезонине. А лесенка находится как раз между апартаментами Лены и бабушки.

Похоже, тут у всех апартаменты, честно позавидовал детектив. Они с Александрой и двойняшками жили в четырехкомнатной квартире — казалось бы, весьма приличной, — однако она уже стала им тесна: дети росли, им требовалось больше личного пространства, и скоро придется их расселять на две комнаты. Придется пожертвовать то ли гостиной, то ли кабинетом Александры...

— Сходи на разведку. Если путь свободен, махни. Игорь, в кабинете я сам разберусь, а ты иди в мою комнату и садись изучать материалы от Александры. Мне выдашь резюме.

Они дошли до второго этажа все вместе. Игорь отправился в комнату шефа, Маша скользнула влево по коридору, приложила ухо к одной двери, потом к другой.

— Лена собирает детей на прогулку, — шепнула она Алексею, — давайте скорее сюда!

Кабинет был заперт, но Маша сняла ключ с бра, висевшего на стене рядом с дверью.

— Имейте в виду, Алексей Андреевич, — тихо произнесла Маша, — в компьютере у папы ничего интересного нет. Я там полазила, ища завещание: Лена достала своими истериками. Ей все мерещится, что она будет вынуждена пойти с детьми побираться на улицу.

— И как успехи?

— Не нашла. У меня такое впечатление, что папа пользовался домашним компьютером исключительно для выхода в Интернет. Никаких рабочих файлов.

Судя по тому, что ключ от кабинета висел в общедоступном месте, академик и в самом деле секретов не имел.

— Я гляну. А тебе предстоит задать точно такие же вопросы, как я только что задавал тебе, каждому из обитателей этого дома. Кроме бабушки, с ней я уже говорил. И Олега — его я как раз собираюсь навестить сам. Пожалуй, и вашего охранника. Как его зовут, напомни?

— Дядя Федя. Ну, Федор, — порозовела Маша. Смутилась, что так по-детски сказала, глупышка.

— Тогда все. Остальных сама спрашивай: был ли папа расстроен, не обронил ли какую-то фразу, какое-то имя.

— Но они удивятся, почему я вдруг месяц спустя явилась к ним с вопросами.

— Сваливай все на меня. На папиного одноклассника. Это он, мол, интересовался. Потому что знает, что Женя Донников был отличным водителем. И ты, Маша, тоже вдруг призадумалась: как же так? Ведь папа прекрасно водил машину! Может, он не уследил за дорогой, потому что был погружен в какие-то мысли?.. и так далее. Если кто-то вспомнит, что видел или слышал нечто необычное, — цепляйся, как клещ. Выпытывай все подробности. Задача понятна?

У девушки в глазах заблестели слезы.

— Прости, Маша.

— Все нормально.

— Чтобы заниматься расследованием, нам не раз придется возвращаться к гибели твоего папы... Ты выдержишь?

— Не сомневайтесь.

— Тогда расходимся. Желательно все сделать за сегодняшний день, поскольку мне в качестве друга твоего папы, который в Москве проездом, было бы странно тут у вас застрять. Кстати, не мешало бы нам с Игорем, для достоверности имиджа, сходить на кладбище, почтить память школьного друга Жеки... Где он похоронен?

— На Ваганьковском.

— Ого... Все, я пошел к охраннику, потом к священнику. Он, кстати, в часовне?

— Не знаю, — пожала плечами Маша. — У него нет расписания, он обязательно присутствует только по церковным праздникам, по-моему, а в остальное время...

— Ну понятно, как бог на душу положит, — усмехнулся детектив и ступил в кабинет академика.

Маша была права: в домашнем компьютере академика не хранилось никаких важных для расследования файлов. Наброски статей для журналов и речей для каких-то конференций, выписки статистики, информация о новых медицинских разработках, скачанная из Интернета, и прочее в таком же духе. Скайп и электронная почта вообще отсутствовали. То ли Донников удалил их, опасаясь чего-то (постороннего подключения?), то ли никогда ими не пользовался в компе, предпочитая смартфон. Который, очевидно, сгорел в машине вместе со своим хозяином... Следы выхода в Интернет оказались тоже скучными и мирными: новостные сайты, профильные медицинские форумы, пара ссылок на сайт банка, где, надо думать, у него имелся доступ в личный кабинет. Если у Евгения Дмитриевича и были какие-то опасения за свою жизнь и если при этом он считал нужным с кем-то ими поделиться, то делал он это, скорее всего, при личной встрече, а не посредством интернет-связи. Проведя за поисками около часа, Алексей вышел из кабинета с раздражающим чувством напрасно потраченного времени. Запер дверь, повесил ключик на бра и спустился с предосторожностями вниз, никого не встретив.

На кухне слышался Машин голос: она разговаривала с поварихой. Алексей коротко стукнул в дверь, из которой накануне появился «дядя

Федя». Никто, однако, не откликнулся. Детектив нажал на ручку — закрыто. Он огляделся вокруг, не зная, с чего начать поиск охранника, как вдруг увидел его. Тот как раз вошел в дверь, ведущую на участок. В руках он нес прозрачный пакет, в котором лежало несколько ярких яблок.

— Меня ищете, что ли? — Федор открыл свою комнату ключом. — Проходите.

Комната оказалась обыкновенной, жилой, а не охранной будкой с экранами и пультами. Точнее, экраны и небольшой пульт тут все же имелись, но в глаза не бросались, скромно расположившись на стене за дверью. В остальном это была вполне уютная, хоть и простая комната одинокого мужчины.

— Садитесь, — кивнул Федор на стул у стола. — Яблоко хотите?

Детектив не хотел.

— У меня пара вопросов к вам.

— Я так и понял. Даже догадываюсь, каких. Они возникают у всех, кто знал, как уверенно Евгений Дмитриевич водил машину.

— Есть что рассказать?

— Кое-что есть... Он последние недели был довольно хмурым и — как сказать? — сосредоточенным.

— Его мать назвала это «озабоченностью».

— Можно и так. Он будто какую-то неприятную мысль обдумывал. Старался этого не показывать, особенно перед своими женщинами, но я же привратник — при воротах, в смысле, — и видел его лицо в камеру, когда он входил или выходил. Так вот, входя, он будто маску надевал, веселую такую, а выходя, снимал ее. Я академику не приятель — что я, мент в отставке, а в его доме вроде как прислуга... Но я без обид, мне повезло: работы, почитай, никакой, только посматривай на мониторы время от времени, а при этом у меня жилье, харчи и еще ко всему зарплата. Ну, я еще тут кое-какую мелкую работу делаю: лампочку поменять или прокладку в кране, прибить-повесить... Так вот, хозяину я не приятель и спросить не мог: мол, случилось что? Но вижу, день за днем идет, а он все такой же невеселый. Ну, как-то я вышел из своей комнаты и говорю: «Не пора ли нам укреплять рубежи? В смысле, обновить систему видеонаблюдения?» Я так сказал, потому что система у нас старая, сами посмотрите, — махнул Федор в сторону мониторов. — Даже не пишет, просто глазеет, и все. Ну, глазею, конечно, я, понятно. А чего я сделаю один-то, если, к примеру, пара крепких ребят начнет ломиться в дверь? Нам и ее было б нелишне заменить, сейчас такие стали делать, танком не сломаешь, а у нас хоть и дуб, массив, — но высадить ее на счет «три» можно. Сама-то дверь тяжеленная, да петли хлипкие, старые.

— А академик что?

— А академик интересную вещь сказал. Никто сюда полезть не рискнет, говорит, потому как тогда следствие откроется и огласка выйдет, а она им не нужна. Я сразу: «Кому — *им*?» Но он посмотрел на меня, будто очнулся, и сразу лицо его закрылось. Что-то пробормотал и вышел. Больше я к нему с разговорами не совался. Не знаю, какой вывод из этого сделать, но если он и за рулем такой был, весь в своих мыслях хмурых витал, то и неудивительно...

— А как насчет алкоголя? Мог он сесть за руль с похмелья?

Федор покачал головой.

— Невозможно. Он был автором теории, которая приносила ему огромный доход и имела кучу поклонников, а в ней, в теории этой, проповедуется отказ от излишеств. Я все его выступления смотрю, — кивнул Федор на телевизор, примостившийся рядом с мониторами, — чуть ли не наизусть выучил. Так вот, людям его идеи нравятся, потому что там все просто. Он ничего не запрещал, говорил, что можно есть и пить все, но только ничего нельзя много. Даже безобидной вареной картошки. И приводил в пример лекарства: немножко — лечит, а много — убивает. В хорошую погоду мы шашлыки делали — у нас уголок с мангалом во дворе, видели? Ну и вино к шашлыкам для дам, мужчинам чего покрепче. Евгений Дмитриевич всех звал, даже священника. Весело всегда было. А сам он бокал красного, не больше. Говорил, что его организм не привык к алкоголю и лишнее все равно «родит в муках».

Так-так-так... А Алан-то наш Бицаев подсунул нам историю про попойку накануне и бодун с утреца... Означает ли это, что Бицаев знает правду и пытается ее скрыть? Замешан ли он, преданный ученик, в убийстве наставника, на которого якобы всю жизнь молился? И отчего в голосе его звучал страх?

Плохо, что с ним не встретишься наскоро. При встрече-то проще понять, лжет человек или нет... Ладно, пока нужно выполнить намеченный на сегодня план, а там детектив может и в Адыгею махнуть, если понадобится.

— Я бы еще с шофером его бывшим поговорил, с Борисом, — произнес детектив. — Возможно, он знает побольше... Шоферу люди почему-то часто рассказывают такое, чего другим не сказали бы. Как с ним связаться?

— Сейчас, у меня его мобильный записан. Я тут раньше, случалось, как диспетчер был между двумя машинами...

Получив в руки листок с телефоном шофера Бориса, Алексей вышел в сад и уже знакомым путем пошел в сторону часовенки.

Отца Нила не было видно, но дверь в часовню оказалась приоткрыта. До сыщика донеслись тихие голоса. Интересненько...

Он подошел поближе к двери, но под ногой треснула шишка, и в часовне наступила тишина. Кис подождал с полминутки, и кто-то вновь заговорил. Алексей осторожно раскрыл дверь пошире.

В помещении было душно, пахло воском — горело множество свечей. Отец Нил, он же Олег, одетый в рясу на этот раз, молился, стоя на коленях. И что-то бормотал. То есть не «что-то», конечно, а молитву. Второй голос детективу примерещился, видать. Олег чуть повернулся в сторону гостя, будто давая понять: я вижу, что вы пришли, но извольте подождать.

Ладно, мы подождем, мы уважаем чувства верующих, поскольку интеллигентные люди, — Алексей вышел на воздух и уселся на скамейку. Ту самую, которую пометил несколько дней назад голубь-почтальон. Сейчас она, на радость детективу, была чистой.

Олег присоединился к нему минут через десять.

— Я почему-то был уверен, что вы снова придете, — улыбнулся красавец.

— Исповедаться в грехах?

— Любопытная мысль вас посетила. А есть в чем?

— Смотря что считать грехом.

— Вы атеист, — утвердительно произнес Олег.

— Как всякий мыслящий человек, — парировал Алексей.

— Вы себе льстите, — добродушно улыбнулся священник.

— Ясно, мне не выкрутиться.

— И что вас ко мне привело?

— Олег, я тут вынужденно представился как бывший одноклассник Евгения Дмитриевича, так что называйте меня, пожалуйста, Константином Алексеевичем Чебыкиным.

— Без проблем, Константин Алексеевич. Так какой у вас вопрос?

— Простой. Евгений Дмитриевич был как-то особенно задумчив? Озабочен? Расстроен? Возможно, какие-то слова обронил? Имена произнес?

— Могу я вас спросить? — Молодой священник выглядел необычайно серьезным.

— Разумеется.

— Ваши вопросы — это плод каких-то размышлений? Я бы хотел, чтобы вы со мной ими поделились.

— Зачем, Олег? Вам не нужны причины и следствия, вам хватает веры. Человек умер, его душа отлетела в другой мир, — Кис рассердился, сам толком не зная, почему. — При этом он сумел передать *оттуда* письмо, в котором говорится, что его убили. Но ведь все в воле божьей, не так ли? Раз Донникова убили, то богу было угодно? Так чего вы ищете? Просто преклонитесь перед его волей!

Отец Нил посмотрел на детектива долгим взглядом. Казалось, он что-то хотел сказать, возразить, и взвешивал, стоит ли.

— Евгений Дмитриевич, — произнес он наконец, — иногда приходил сюда. Он был атеистом, как вы, но любил побыть здесь, со мной поговорить. Может, потому, что в доме одни женщины... Ну, если не считать Федора, охранника.

— Да вы мачо, батюшка.

— Женщин интересуют другие дела, так господь бог их устроил. К тому же Евгений Дмитриевич оберегал семью от волнений. Неужели вы считаете, — вдруг сменил тему отец Нил, — что он мог задуматься за рулем и слететь в пропасть? Ладно, вы в письмо с того света не верите. Но вы сами сказали, что его написал живой. Тот, кто знает правду. И он сказал: это убийство. А вы намереваетесь объяснить ДТП задумчивостью Евгения Дмитриевича?!

Очень интересно получается. Алан Бицаев дал понять, что академик накануне перебрал, отчего и не справился с управлением. Охранник Федор начисто отмел подобную возможность: академик почти не пил. (Хотя, конечно, перед настойчивым кавказским гостеприимством не устоит никакой здраво-врачебный смысл...) Какие-то тяжкие мысли, уверен Федор, сгубили Донникова. А вот этот красавчик-священник прямо-таки возмущен подобной версией. И кто из них прав?

— Олег, я в вере не силен, зато неплох в логике. А она оперирует *фактами*, — с нажимом произнес сыщик. — Я не имею ни права, ни намерения объяснять произошедшее, пока у меня их нет. Поэтому я задаю вопросы. В надежде нащупать факты. Я не очень туманно выразился?

Молодой человек задумчиво кивнул — мол, понял, и Алексей продолжил.

— Да, я склоняюсь к мысли, что Автор Письма написал правду. Но это пока не установленный факт, а мое предположение. Возможно, этот человек *лишь думает, что знает* правду. Я обязан рассмотреть все возможные версии. А из разговоров с домашними возникли две. Первая заключается в том, что Евгений Дмитриевич в последнее время был необычайно задумчив. Тяжелые мысли его одолевали. Не исключено, что и за рулем... Поэтому я хочу узнать о ваших впечатлениях.

— Одолевали. Но Евгений Дмитриевич отлично владел собой. Он ведь по основной профессии кардиохирург, и до того как основать Заповедник здоровья проводил операции на открытом сердце! Несколько часов мог стоять у операционного стола. Представляете, какую способность к концентрации внимания надо иметь для этого?

— То есть тяжкие думы наличествовали, но вы при этом не верите, что они сгубили академика?

— Не верю. А какая у вас возникла вторая версия?

— Не у меня, а... Неважно. Суть в том, что академик накануне выпил лишку и не справился с управлением с похмелья.

— Можете сразу забыть.

— Из-за его теории?

— Отчасти. Но еще потому, что у него не было привычки пить алкоголь. Кардиохирург, разве мог он себе позволить? Какая операция, если с утра руки дрожат?

— Но если у него не было привычки, то тем более... Кавказ, вино рекой, да приправленное коньячком, — «пей до дна», не то хозяина обидишь. Донников не устоял, поддался на уговоры и...

— Алан был его учеником. Я его видел, он приезжал сюда не раз. Он никогда не посмел бы настаивать — он боготворил своего учителя. Кроме того, на крайний случай у Евгения Дмитриевича была маленькая хитрость: пить с алкоголем много воды. По его словам, это позволяло печени справляться с нагрузкой и не давало похмелья.

— Выходит, тот, кто сказал мне о попойке накануне ДТП, солгал?

— Насчет попойки не могу знать, а вот похмелья точно не было. Да и не сел бы за руль Евгений Дмитриевич с нетрезвой головой.

— Спасибо, Олег, это важная информация... Вы говорили, что академик любил беседовать с вами. О чем?

— Евгений Дмитриевич был хорошо образован, я тоже неплохо. Случалось, мы говорили о философских учениях или об искусстве...

— Олег, я ведь не об этом спрашиваю.

— Не знаю, поможет ли вам такая информация, но в последнее время Евгений Дмитриевич был действительно расстроен из-за Заповедника. Говорил, что он мыслил его как место, где его теория и практика будут работать на благо людей, а оказалось, что все это для блага какой-то всесильной кучки мародеров...

— *Мародеров*?

— Ну да, знаете, которые во время войн грабили мирное население, наживаясь на бедах.

— И как это соотносится с Заповедником?

— Я позволил себе задать несколько вопросов, раз уж человек пришел со мной поделиться наболевшим, — но Евгений Дмитриевич отвечал уклончиво. Я только понял, что, хоть он и основатель Заповедника и его директор, власть его становилась все более формальной. Многие его клиенты были настолько могущественны, что стали потихоньку диктовать условия...

— Рейдерский захват, что ли?

— Не совсем. Отбирать Заповедник никто вроде бы не собирался. Но эти люди стали вмешиваться во внутренние дела. К примеру, заставили Евгения Дмитриевича поднять цены на все услуги, чтобы избавиться от «простого народа». Они хотели сделать заведение элитарным, чем-то вроде закрытого клуба. И еще там был один деликатный момент... Метод Евгения Дмитриевича заключается в комплексном обследовании, на котором базируется комплексное же лечение. Значит, о каждом своем пациенте он знал очень много... Но некоторые из них желали заглянуть в чужие досье. Врачебная этика не позволяет раскрывать чужие секреты — но там такой уровень, что иная просьба звучит как приказ.

«*Папа*, ты где? — вдруг послышался голос Игоря. — Ау, *папа*!»

— Не возражаете, если Игорь присоединится к нашей беседе? — вежливо спросил Алексей.

— Ваш сын, вам и решать.

Детектив посмотрел на Олега: забыл он, что ли? Он единственный (не считая Маши, разумеется) знал, кто такие на самом деле его гости.

— Игорь, я здесь, возле часовни!

Детектив снова посмотрел на Олега: тот улыбался.

— А, это шутка, — кивнул Кис.

— Покуда вы Константин Алексеевич, то

 Игорь ваш сын. А как снова станете Алексеем Андреевичем, то Игорь превратится в вашего помощника.

— Логично... Донников называл хоть одно имя?

— Боюсь, что нет.

— Эти люди — из числа пациентов, я правильно понял? А они все как на подбор звезды. Неужели ни разу академик не обронил фразы, вроде: знаешь, кто ко мне сегодня пришел на прием?

— Ни разу.

— Зато я знаю кое-какие имена, — приблизился к ним Игорь. — Я закончил читать материалы Александры, готов выдать отчет.

— Олег, вы ничего не желаете добавить? Нет? Тогда мы с Игорем откланяемся, с вашего позволения. Спасибо за информацию, я уверен, что она нам пригодится.

Несмотря на то что Олег был доверенным лицом Маши и единственным, посвященным в тайну голубиного письма, Кис не хотел делиться с ним *своей* информацией. Что-то было непонятное в молодом священнике, словно второе дно. Необязательно, что там, на этом втором дне, нечто дурное, нет — но нечто сокрытое от чужих глаз. А вот почему сокрытое — не угадать.

— В общем, так, шеф: я все внимательно изучил, — проговорил Игорь, когда они вошли в комнату детектива и плотно закрыли за собой дверь. — Александра, как всегда, нарыла крутую инфу. Да только из этой инфы следует, что плохи наши дела. Звезды там и вправду звездят, от имен в глазах рябит. Но это все блестки, мишура. А вот тебе бриллианты: у Донникова обследуются и Кремль, и Дума, и всякие прочие власть имущие. И — держись! — по слухам, сам президент. Так что в этот лес по грибы мы пойти не сможем, образно говоря. Слишком много там хищников, враз порвут.

— Ччерт... Когда я говорил, что у элитарного киллера непременно должен быть элитарный заказчик, я даже не предполагал, до какой степени окажусь прав... Теперь понятно, почему Олег... По его словам, в Заповеднике некие именитые пациенты стали чувствовать себя по-хозяйски, распоряжаться, диктовать условия академику. Заставили его, к примеру, поднять цены на услуги, чтобы отсечь «простой народ». Олег не все знает, но вот еще один настораживающий факт: какие-то высокопоставленные лица требовали сливать им информацию о других пациентах. Возможно, в Заповеднике поправляли здоровье не только политики, но и силовые структуры — это их методы... Короче, Игорь, ты совершенно прав: плохи наши дела.

— И что нам делать?

— Продолжать. Пока не упремся лбом в стену. Или не найдем убийцу.

— Ты че, Кис, псих?

Вот так начинается фамильярность: сначала Алексей разрешил Игорю звать себя по прозвищу «Кис» (что было дозволено лишь близким друзьям); затем разрешил перейти на «ты» — и нате вам, теперь его *психом* обозвали. Забавно.

Алексей не ответил, отошел к окну. Несмотря на по-летнему яркое, праздничное солнце, близость осени выдавала себя слишком длинными тенями: светило уже передвигалось не по центру неба, а словно уставший путник, стремилось избежать подъема в гору, в зенит, и выбирало низкие тропы в обход вершины. Зимой тут, в деревне, должно быть тоскливо — короткие дни и долгие черные ночи... Впрочем, для большинства обитателей дом был не местом жизни, а местом ночевки. Этакий спальный район, откуда с утречка все разъезжались, кто на работу, кто на учебу, кто, как Лена, детей развлекать. Алексей не смог бы жить в такой глуши — он любил город, его беготню и толчею, сверкание огней и неутихающий шум. Но пока лето не закончилось, зима была далеко, и владения Донникова радовали глаз яркими красками.

...Не мог Алексей предать Машу. Не мог сказать ей: извини, детка, но в деле замешана власть, посему убийство твоего отца останется шито-крыто. Не мог он прибавить к ее горю еще и ощущение абсолютной несправедливости мира, в котором ни правды не добиться, ни наказания за преступление. Даже если все так и есть. Даже если это реальность, голая и отвратительная в своей аморальной наготе.

— Кис, — проговорил Игорь в спину Алексею, — против лома нет приема.

— Ты предлагаешь отказаться от дела? — обернулся детектив. — И сказать об этом Маше?

— У нас нет выбора. Каждому ребенку приходится рано или поздно столкнуться с тем, что в жизни нет могущественных добрых волшебников, как в сказке. Маша умная. Она быстро поймет.

— А что, умные страдают меньше, чем глупые?

— Я не это хотел сказать... Она мне очень нравится, и я хочу ей помочь, но я не самоубийца.

— Игорь, я ведь не сказал, что собираюсь бросаться грудью на амбразуру. Мне и самому жизнь дорога, и семье моей она отнюдь не безразлична.

Я сказал: будем идти, пока не упремся в стену. В *стену*, Игорек, а не в дуло! Но если тебя одолевают опасения, можешь не участвовать.

— Шеф, ты знаешь, я не из пугливых! — обиделся Игорь. — Но то, что собираешься делать ты, — чистое безумие. Чтобы собрать информацию, придется задавать вопросы. Пойдет волна, и она дойдет до убийцы раньше, чем ты сумеешь хоть что-то разузнать!

— Вообще-то мы пока задаем вопросы на периферии, в кругу семьи.

— И ближайшим друзьям академика. Маша инициативу проявила, позвонила некоторым.

— Ну, друзья вряд ли представляют опасность. Скажи ей, чтобы сделала для меня что-то вроде отчета: с кем говорила и что ей ответили. А я уеду ненадолго. Со вторым шофером надо встретиться, с Борисом. Он тут недалече на службу пристроился, так что я скоро вернусь.

Глава 6

«ФИНИТА ЛЯ КИНИТА»

— Я приехал, — сообщил Алексей в телефон, притормозив у высоких светло-серых ворот с нужным номером.

Через минуту створки разъехались, и высокий молодой мужчина шагнул в их просвет. Позади него, метрах в десяти от ворот, на крыльце дома Кис увидел женщину лет сорока с короткой стрижкой темных волос и несколько хищными чертами лица. Зорким взглядом она изучала джип детектива, будто проверяя, правду ли ей сказал Борис по поводу своей встречи и нет ли там женщины...

Кис как-то сразу понял, что шофер сменил место работы с выгодой: здесь к зарплате прилагались любовные утехи с хозяйкой. Впрочем, женщина имела лицо худощавое и нервное, и не факт, что любовная связь с ней служила бонусом. Если она ревнива и подозрительна, то...

Он вышел из машины как бы Борису навстречу. На самом деле он желал продемонстрировать хозяйке дома, что к ее шоферу приехал действительно мужчина. Не то мадам, снедаемая подозрениями, может помешать им в разгар важной беседы.

Он поступил правильно: в просвет плавно закрывающихся ворот он увидел, как мадам оторвалась от балюстрады, намереваясь вернуться в дом.

Кис открыл шоферу дверцу.

— Поговорим в салоне, если вы не против?

— Может, пройдемся? Тут лесок рядом. Погода такая стоит, загляденье. Воздух прямо сладкий.

Алексей подумал — или, скорее, почувствовал, — что Борис хочет продлить свое пребывание вне дома. Вне общества этой женщины.

Откуда приходят подобные ощущения? Насколько можно им верить? Алексей не любил такие моменты, когда у него сами по себе рождались выводы безо всяких реальных на то оснований. Женщина посмотрела слишком пристально? А вдруг она просто боится, что незнакомый человек окажется наводчиком для ворья? Борис хочет прогуляться? Но он, возможно, просто засиделся в помещении!

— Хорошо. Давайте я подъеду к лесу поближе, а там уж и пройдемся, — произнес Алексей, заводя мотор.

...И зачем он, опытный детектив, потерял полдня в бесплодных разговорах?! Почему не кинулся первым делом расспросить персонального шофера академика?! Ведь известно ему, известно давно, насколько людям свойственно откровенничать со своими водителями! Тем более что академик, по словам священника Олега, живя в исключительно женском окружении, был иной раз весьма рад мужскому обществу!

Ох-хох, как глупо. Борис знал то, чего не знал никто из домашних. А именно: на Евгения Дмитриевича покушались. Причем не раз.

Дважды его пытался сбить на пешеходном переходе мотоциклист, когда Борис высаживал академика на противоположной от магазина стороне. Магазина, где Евгений Дмитриевич предпочитал покупать деликатесы по пятницам, направляясь на Истру, домой. Разворот там далеко, проще через дорогу перейти, а на выходе Борис уже ждал хозяина у дверей и подхватывал пакеты.

...Значит, кто-то изучил привычки Евгения Дмитриевича и знал о его пристрастии к этому гастроному. И поджидал его на месте — мысленно отметил детектив.

— Когда мотоцикл рванул в первый раз, не дожидаясь зеленого, на зебру, — продолжал Борис, — академик едва успел увернуться, но все же они тогда подумали, что какой-то обкуренный юнец за рулем. Но когда во второй раз, неделю спустя, история повторилась и снова мотоцикл метил явно в Евгения Дмитриевича, то они напряглись. И с того дня я стал проезжать лишние три километра до разворота, чтобы высадить хозяина непосредственно у дверей гастронома.

Борис нагнулся и сорвал стебель высокой травы, который принялся жевать.

— Марку мотоцикла, номер не успели заметить?

— Не до того было, я к хозяину кинулся. Да и не разбираюсь я в этих кузнечиках, у которых вся сила в треск ушла. Разве это машины? — выплюнул он разжеванный кусочек стебля. — Так, фигли-мигли, стрекозел.

— Может, хоть цвет запомнили?

— Черный.

— Обычно они бывают черные с чем-то. Черно-красный, черно-синий, черно...

— Точно. У него впереди какой-то горб красный. Что там наворочено, не знаю. Может, багажник? У них же все не так, как у людей... Как у настоящих машин, хочу сказать.

— Борис, скажите-ка, мне не показалось, у священника, отца Нила, тоже мотоцикл есть?

— Вы что, нашего Нилушку подозреваете? Вот насмешили.

— Я на всякий случай спрашиваю.

— У него «бээмвэшка», черный с желтым. К слову, хоть и кузнечик, как все мотоциклы, но вездеходный. Даже по грязи осенью пройдет... А Олега не стоит подозревать, он парень нормальный. С Евгением Дмитриевичем они дружили. Академик любил с ним побеседовать, хотя Нилушка ему не то что в сыновья, во внуки годится. Значит, умный он парень, иначе б хозяин время на него тратить не стал... Так я вам еще не все рассказал, на этом дело не кончилось!

Спустя неделю, повествовал Борис, грызя травинку, произошла другая история, на этот раз в одном московском мединституте, где Евгений Дмитриевич вел спецкурс, пропагандируя свои идеи. В тот день лекции не было: академик пояснил, что занятия закончились, летние каникулы, и теперь институт наводнили абитуриенты. Но ему зачем-то туда надо было. И вот кто-то налетел на него на лестнице и пихнул в спину столь сильно, что академик едва не рухнул вниз через перила. Это повлекло бы за собой смерть... (В лучшем случае перелом позвоночника с последующим параличом, подумал детектив.) Евгений Дмитриевич не видел, кто толкнул его: человек скрылся в толпе юнцов, мчавшихся на экзамен, раньше, чем академик осмелился оторвать дрожавшие руки от перил, за которые сумел с силой уцепиться. К тому же несколько ребят участливо подхватили его под локти, и за ними уже ничего рассмотреть было нельзя. На вопросы академика молодые люди отвечали, что видели, как кто-то в него врезался, но все случилось слишком быстро, и они не успели разглядеть, кто именно.

— Академик не допускал мысли, что его пихнули случайно? Я знаю, как несутся студенты, когда опаздывают, особенно парни... Как мустанги.

— Я тоже его об этом спрашивал. Но нет, по его словам, толчок был слишком сильным, намеренным. И еще он тогда сказал: «Не могу представить, кому я помешал до такой степени, что меня решили устранить. Интриг в Заповеднике, конечно, много — но интриг на любой работе много. Разве только в Заповеднике ставки покруче»... Смотрите-ка, грибы! Лисички, что ли... Вы разбираетесь?

— Не мог представить? Или не хотел говорить?

— Кто его знает... Но я думаю так: если б он не хотел меня посвящать, то и разговор бы не начинал. Я ведь в машине его ждал, ничего не видел — Евгений Дмитриевич сам мне рассказал об этом инцинден... инциденте. Так это лисички или что?

— Лисички. И тогда он решил уехать в Адыгею? Подальше от Москвы?

— Не совсем. Мысль такая у него появилась, это да — надо, мол, где-то переждать, выпасть из поля зрения тех, кто за ним охотился, — но окончательное решение он принял после еще одного странного случая.

— Четвертое покушение?

— Хозяин не знал, отнести ли тот случай к покушениям. Дело в том, что он регулярно наведывался к одной даме. Все всегда было без проблем, но однажды к ней в квартиру ворвался мужчина и напал на него...

Борис наклонился и принялся срезать грибы перочинным ножом. У его ног образовалась небольшая оранжевая кучка.

— Подождите-подождите, как это *ворвался*? Она ему сама дверь открыла или...

— Не знаю. Я же в машине сидел. Может, дверь не была заперта? У вас нет какого-нибудь пакета с собой?

— В машине есть... У Евгения Дмитриевича с этой женщиной какие были отношения?

— Ну понятно, какие, — пожал плечами Борис. Легкая ухмылка скользнула по его красиво очерченным губам.

— Нет, не понятно, — возразил детектив. — Он ее любил или это была чисто сексуальная связь?

— Вообще-то хозяин мне не докладывал. Но думаю, только секс. Такие вещи ощущаются, знаете. Цветы вот, к примеру, он ей никогда не приносил, хотя подарки какие-то, случалось, дарил, из машины выходил с пакетом. Что там внутри, не знаю, не видел и не спрашивал. Да и ночевать он у нее никогда не оставался.

— Это не показатель. Он женат, соблюдал приличия. Цветы тоже, к слову, не показатель — возможно, дама их просто не любит, предпочитая украшения... Так что там случилось?

Борис стащил с себя футболку и принялся складывать на нее грибы.

...В тот вечер Евгений Дмитриевич вошел в подъезд, а Борис, как обычно, запустил на планшете кинушку. В запасе у него было как минимум полтора часа — раньше академик от любовницы не выходил. А максимум — два с половиной, дольше он тоже не задерживался. Однако не прошло и десяти минут, как у Бориса зазвонил мобильный: хозяин. Номер шофера стоял у него в коротком наборе под цифрой 1, так что достаточно было кнопку нажать. И хозяин вдруг закричал: «На помощь, Боря, на помощь, скорее!»

Борис рванул в подъезд — дверь открыта, лето, вечер солнечный, консьержка на лавочке сидит у подъезда — и кинулся к лифту, нажал кнопку второго этажа. Почему? Он не знал, где живет пассия академика, но шум доносился сверху — два мужских голоса и звук ударов, — казалось, прямо над потолком, вот почему. Однако когда двери лифта открылись, он понял, что драка происходит выше, и поднялся на третий этаж. Выскочил из кабины, увидел: дверь в квартиру слева распахнута настежь, а на лестничной площадке дрались двое мужчин. Ну, что касается академика, он не то чтоб дрался, а больше прикрывался. Приемов борьбы явно не знает!..

Последнюю фразу Борис произнес высокомерно-снисходительно, из чего следовало, что уж он-то хоть и шофер, но знает. Кто бы сомневался: его крепкое тело свидетельствовало о регулярных тренировках.

У нападавшего, по описанию Бори, было худощавое небритое лицо, да и в целом видок тот еще, будто бомж с помойки. Но кулаки у него оказались удивительно крупными, словно две кувалды на концах тощих жилистых рук. И этими кувалдами он лупил академика по голове — Евгений Дмитриевич потом две недели ходил в синяках, а на вопросы отвечал, что неудачно испытал новый тренажер... Мужик, завидев Бориса, вдруг вытащил нож из наколенного кармана грязных парусиновых брюк. Сначала он им размахивал перед подступающим Борисом — мол, не подходи! А затем вдруг резко замахнулся, явно намереваясь воткнуть нож то ли в шею, то ли в грудь академика. И тогда Борис прыгнул. Выбил нож из руки мужика, быстро скрутил его и крепко ткнул мордой в стену. Потом они завели его в квартиру, где сидела испуганная женщина — красивая, к слову, Борис ее тогда первый раз увидел, — и принялись задавать вопросы.

Мужик нес такую пургу, что они довольно быстро бросили затею добиться от него правды. Якобы он муж той чувихи, которая любовница Евгения Дмитриевича, — Лида, что ли? — и он ревнует. По какому праву, мол, тут чужой человек его жену пользует? То он твердил, что ревность его заела, то денег просил. В общем, хрень какая-то, они так и не разобрались. А Лида ни слова сказать не могла, сидела и тряслась. Кофту какую-то на себя намотала, будто ей холодно, и все стягивала на груди рукава, словно куталась. Странная женщина. Больше хозяин, конечно, к той чувихе ни ногой, а там вскоре в отпуск уехал, в горы. Подальше от греха. Но судьба, вишь ты, его и в Адыгее нашла...

Не судьба его нашла, подумал Кис, а убийца. Но вслух ничего не сказал, только адрес «чувихи» попросил. У шофера оказался даже ее телефон — Евгений Дмитриевич предусмотрительно снабдил им Бориса на всякий случай.

— Женщина молодая? — спросил он, переписав номер.

— Вполне. Лет тридцать на глазок.

— С академиком большая разница в возрасте, — заметил Кис.

— Может, проститутка? Им лишь бы денежки платили.

Снова минное поле догадок, которое Алексей ненавидел.

— Все может быть, — ответил он уклончиво, не желая поддерживать эту тему. — Мужика вы в полицию сдали?

— Нет. Мы ему морду расквасили, он нас тоже обвинил бы, так что решили не связываться. Я его потом пинком с лестницы спустил, финита ля кинита.

— «Финита ля комедиа»?

— Вроде того. Я переделал для рифмы. Конец фильма, типа.

— Неплохо получилось, — улыбнулся детектив, — забавно. Жаль, что вы в полицию не решились... Теперь у нас нет даже его фамилии... Борис, вы никогда не замечали за вами слежки? Неважно, в какой день, — но ведь кто-то точно знал, куда и когда академик ходит! Начиная от гастронома и кончая любовницей.

— А это вы правы, кстати... Кто-то должен был... Но я никогда не обращал внимания. В голову разве могло такое прийти?

— Почему Евгений Дмитриевич в полицию не стал обращаться? После второго покушения он уже вполне понял, что его хотят убить.

— Я советовал ему. А он ответил: «Все равно не найдут». А я ему тогда: вы же, мол, светило, академик, они расстараются! А он мне: боюсь, за всем этим стоят люди покруче моего... И больше ни слова не добавил, только задумался. Я тогда его слова про интриги и высокие ставки вспомнил. Он был уверен, что за ним охотится кто-то из его Заповедника.

— А детектива частного он не нанимал?

— Не знаю. Но вряд ли. В Заповеднике такие шишки, разве до них доберешься? Тем более какой-то частный детектив. Кишка тонка.

Алексей не стал спорить, хотя пренебрежение к его профессии, прозвучавшее в голосе шофера, было ему неприятно.

Распрощавшись с ним, Алексей набрал номер. Имя женщины значилось как «Лида», ни отчества, ни фамилии. Ну что ж, Лида так Лида.

Однако сразу после набора последней цифры он нажал на отбой. Сомнительно, что Лида захочет обсуждать историю нападения на Евгения Дмитриевича с незнакомым человеком. Кем бы ни являлся мужик с «кувалдами», Лида как-то причастна к его появлению в квартире. Иначе бы она закричала от возмущения или страха, когда к ней ввалились трое мужчин после драки в коридоре. Ан нет, она сидела в кресле истуканом, лишь беспрестанно стягивая на себе рукава кофты, будто хотела в нее закутаться целиком, запеленать себя, превратиться в младенца, не несущего никакой ответственности за свои поступки. Язык тела выдавал, как всегда, потаенное: ее желание спрятаться от чувства вины.

В чем ее вина заключалась, Алексей пока не знал, но намеревался вскоре выяснить, для чего, собственно, и собрался с Лидой пообщаться. Однако от встречи с детективом она, скорее всего, откажется. Да еще сбежит из квартиры, чтобы он не застал ее. Отсюда и простой вывод: звонить ей можно, только добравшись до ее подъезда. А лучше звонить прямо в дверь, если удастся.

Алексей сообщил Игорю об изменении плана и тронулся в направлении Москвы.

Ему удалось избежать пробок, и вскоре он уже стоял у подъезда Лиды. Пожилая женщина на лавочке у входа показалась ему консьержкой, и, заговорив с ней, детектив убедился, что не ошибся. Он присел рядом, вытащил удостоверение и заговорщическим голосом принялся задавать вопросы.

Расчет его оправдался: консьержке понравилось участвовать в конспиративном расследовании, и она отвечала охотно, жалея, что не знает большего.

Итак, в день драки была как раз ее смена, и всех участников инцидента она видела. Человек с кувалдами, по ее словам, никаким мужем Лиде не приходился и вообще заявился сюда впервые. С какой-такой радости Лиде сцену устроил — неизвестно. Наверное, пьяный был, предположила консьержка.

— Вы говорите, что он явился сюда впервые. А давно вы тут работаете?

— Лет шесть.

— И ни разу его не видели?

— Ни разу!

— У вас напарница есть? Может, она его видела?

— Ой, а я не подумала... Но я прям сейчас ее наберу.

«Ее номер наберу», — мысленно поправил консьержку Кис. Но вслух он ничего не сказал.

К его счастью, беседа двух товарок была недолгой.

— Не видела Томка такого. Другой мужчина ходил к Лиде регулярно, его тут все знают — а такого вот, худющего, не видели мы.

— Другой — это импозантный мужчина лет пятидесяти (академик был старше — коль скоро его первой дочери под сорок, но выглядел моложе своих лет, судя по снимкам), хорошо одетый...

— Он самый! Профессор вроде.

— Не знаете, Лида была замужем?

— Кажется, нет. Может, если давно... Да ну, сомневаюсь я. Я ей как-то говорю: не ровня он тебе! И старше намного, и женатик, я прям нутром чую. Только время с ним теряешь, ей-богу. Лучше б о семье подумала, детей пора заводить! А она мне: «для семьи требуется сначала мужчина. Да такой, какой детей обеспечит. Вот я и ищу...» Ну что-то в этом роде она сказала. А я поняла, что нужного мужчину она до сих пор не нашла, отчего и замужем не была.

Кис поблагодарил консьержку и направился в подъезд. Третий этаж, квартира слева. Он вдавил кнопочку звонка.

По ту сторону послышались шаги, и наступила тишина. Женщина явно рассматривала его в глазок. Кис помахал ей, но никакого впечатления этот жест не произвел: за дверью ни шороха. Тогда Алексей снова нажал на копку звонка.

Женщина все медлила. Затем до него донеслось: «Кто вы?»

— Лидия? Меня зовут Ал... Константин Алексеевич. Я друг Евгения Дмитриевича и хотел бы с вами поговорить.

— А при чем тут я? — неожиданно резко ответила она. — Он умер, и я ему никто.

— Лида, я не из полиции. Просто его друг. Но если вы не откроете мне, то к вам придет полиция.

Если она в чем-то замешана, — а она замешана, как пить дать! — то откроет.

Он подождал еще минуту. И дверь отворилась.

Она была действительно красивой женщиной — брюнеткой с нежными чертами лица и роскошными блестящими волосами, ниспадающими локонами на плечи. Бледно-розовая помада оттеняла чувственный рот, а коричневые с искрой тени — большие карие глаза. Прелестная девица, спору нет.

— Я без предисловий, — произнес Алексей, входя в квартиру. — Мне известно, что вы были любовницей Евгения Дмитриевича. Он к вам наведывался регулярно и дарил подарки. А вы знали, кем был он?

Помедлив, Лида кивнула.

— Хорошо. Меня интересует тот день, когда на него напал в вашей квартире некий мужчина, худой и небритый. Кто он такой? Откуда взялся? Как вошел?

Лида не ответила, но посмотрела на детектива так затравленно, что Кис решил сменить тактику.

— Мы можем присесть?

— Прошу... — Лида указала на два креслица, стоявших перед телевизором. Она присела в одно из них.

— Поверьте, — мягко произнес Алексей, усаживаясь в кресле, — я никакого вреда вам не причиню. Мне нужно просто узнать правду.

Молчание и огромные глаза, в которых, кажется, начали собираться слезы. Устоять перед ними невозможно, но детектив не позволил себе расслабиться. Он знал, что существуют женщины, способные лгать и в то же время верить в собственную ложь. В силу чего они обладают высшей степенью убедительности. Как, к примеру, та, которая недавно разбила сердце его сына. Относится ли к этому типу Лида, он с ходу сказать не мог, но был начеку, оттого предпочел действовать агрессивно, напористо. Когда приходится быстро отвечать, лгать труднее. Если только ответы не приготовлены заранее, конечно, но вряд ли это наш случай.

— Евгений Дмитриевич был женат. А вы хотели, чтобы он развелся и женился на вас? Партия выгодная, спору нет, — именно такая, о которой вы мечтали, не правда ль? Вам нужен богатый муж, и вы считали, что ваша красота в обмен на его положение — сделка вполне справедливая, верно? Но он отказался. И вы решили ему за это отомстить.

— Нет!

— Не говорите мне, что вы его по-настоящему любили. Я не поверю. Такие, как вы, занимаются бартером: товар в обмен на товар.

— Нет!!! — с еще большим напором воскликнула Лидия... И вдруг сникла. — То есть да, в определенном смысле у нас был такой обмен... Но не так, как вы говорите, не так. Вы все опошляете!

— А, понял, вы прелестная, наивная и романтичная «prettywoman»,чистота которой снизошла на циника-академика, подобравшего вас на панели. Но, к несчастью, вас отыскал сутенер и потребовал своей доли.

— Не смейте меня оскорблять! Я не проститутка! Я любила Женю! Не так, как... Боже, вы все равно не поймете!

— Не так, как мужчину? Наверное, как папика? — не удержался от ехидства Кис.

— Вы идиот. Просто тупой идиот, понятно?!

— Ладно, слушаю вас, я весь внимание, — поднял руки Кис. — Только уж постарайтесь объяснить так, чтобы я понял. Типа два раза и помедленнее. Для идиотов.

Лида потерла лицо, будто умываясь. Руки у нее тоже красивые, отметил Кис.

— Женя хороший, — проговорила она наконец. — Он замечательный человек. И я любила его как... как человека. И как любовника. Я хотела бы выйти за него, да! И родить ему детей... Но он сказал, что это невозможно. Он женат в третий раз, у него куча законных отпрысков и еще есть внебрачная дочь. Последнюю жену он не любит, но у них совсем маленькие дети, он не может их бросить... Да и в глазах общества он будет выглядеть непорядочно, ведь он интеллигентный человек, к тому же слишком известный... Я не мстила ему! Я была счастлива каждым мгновеньем, которое он проводил со мной!

— Ла-а-адно... — протянул детектив в некоторой растерянности. Он не ожидал такого страстного монолога. — Вы ему не мстили, допустим. Но как же тогда, почему, с какой целью в вашей квартире оказался человек, напавший на академика и чуть не убивший его? Будет точнее сказать, *намеревавшийся* убить Евгения Дмитриевича. Которого спасло лишь появление шофера.

Снова молчание и большие печальные глаза со слезой.

— Лида, я вам уже сказал: мне нужны ответы. Я не уйду, пока их не получу. Надеюсь, вы не захотите, чтобы я тут у вас пожил в ожидании, пока вы разговоритесь.

Она снова поднесла руки к лицу, прижала пальцы к вискам.

— У меня не было выбора, — произнесла она тихо. — Они пригрозили меня убить.

— Кто?

— Не знаю. Я шла домой, уже по двору, как вдруг возле меня притормозил мотоцикл. Парень чуть приоткрыл забрало шлема — это так называется? — его лицо я практически не видела... Он сказал, что в следующий приход Жени ко мне я должна «забыть запереть дверь в квартиру». Если я выполню условие, то получу деньги, сто тысяч рублей. А если нет, меня убьют. И в полицию не обращаться...

— И вы согласились.

— Я испугалась.

Конечно, испугалась. Надо иметь незаурядное мужество, чтобы отказаться выполнить требование бандита. Или согласиться для видимости, а самой броситься к академику, предупредить его об опасности и поверить: он сумеет защитить себя и ее... Для этого нужна та самая любовь, которой у Лиды не случилось с Евгением Дмитриевичем. По сути, она одной с Леной породы... как там Маша ее назвала? — курочка, ищущая свой насест. Ее гнездышко в виде крошечной квартирки (которая казалась еще более тесной из-за обилия подушечек, вазочек, искусственных цветов и прочей мишуры) было вопиюще пустым, не оплодотворенным постоянным присутствием мужчины, и Лида отчаянно ждала его. Того, с кем можно вывести цыплят.

— По голосу мотоциклиста можете примерно определить его возраст?

— Молодой.

— Понятно, что не старик, они на мотоциклах не гоняют. А насколько молодой? Подросток?

— Трудно сказать... Иной раз и у стариков мальчишеские голоса. Но я бы дала ему от двадцати до тридцати.

— Цвет мотоцикла, номер, модель?

— То есть вы думаете, что, когда возле вас внезапно тормозит человек в черном шлеме и угрожает вам смертью, вы при этом разглядываете его мотоцикл? Вам, типа, приспичило узнать, что за модель такая?! — Последнюю фразу Лида прокричала с неподдельным возмущением. — Сколько в ней лошадиных сил или как там?!

— Ну хотя бы цвет, — миролюбиво попросил детектив. — Он же рядом с вами стоял. Неужели не вспомните?

Лида снова провела ладонями по лицу, будто умываясь. И снова Алексей отметил, какие красивые у нее руки. Может, она этот жест специально придумала, чтобы все видели их красоту?

— Красный, кажется. — Она еще чуть подумала и кивнула. — Да, точно. Внизу черный, а у руля красный.

Это подтверждало показания Бориса. Что ж, уже неплохо.

— Человека, который ворвался к вам в квартиру и стал бить Евгения Дмитриевича, вы раньше где-нибудь видели?

— Никогда.

— Он кричал, что является вашим мужем.

— Это ложь. Я не знаю этого ублюдка. И я никогда не была замужем. Можете проверить.

— Деньги вам заплатили?

— Нет.

— Этого следовало ожидать.

— Я бы их не взяла, — Лида посмотрела детективу в глаза. — Я не продалась. Я просто испугалась!

Она заплакала, уткнувшись лицом в ладони, а детектив направился к двери. Он ее не осуждал. Но и не жалел.

Было почти шесть вечера, и Алексей подумал, что хорошо бы уже не ехать на Истру, а заглянуть домой, к Александре, детям. Он с удивлением осознавал, как много стал для него значить дом. Точнее, семья. Хотя это почти одно и то же. Где семья, там и дом... Можно менять место прописки хоть каждый год, но пока с ним его семья, любое место станет родным.

Он раньше и не предполагал — ни в первом браке, ни в последующей холостяцкой жизни, — что однажды очертится на планете какой-то магический круг, его личный круг. Его место на земле. Дорогое сердцу место, где ему так хорошо. Потому что там живут его любимые люди. Там, с ним. И они тоже любят его. Это место его счастья — может, сказано неуклюже, зато точно.

Неожиданно он вспомнил о странной Сашиной задумчивости, и его философское настроение мгновенно улетучилось.

Надо поговорить с женой. Если там что-то... Если есть причина... То он должен об этом знать. Знать заранее. Чтобы успеть подготовиться к мысли, что его магический круг разрушится.

Нет. Нет, какая чушь! Их с Александрой связывает намного больше, чем «любовь», как ее понимают обычно. У них общие взгляды на вещи, на ценности, на мир; больше того, у них общие требования к себе. Когда люди умиляются и называют Алексея с Александрой идеальной парой, они даже не догадываются, что идеальность эта — плод душевного труда, который называется «самосовершенствованием». Система саморазрешений и самозапретов. Культивация в себе доброго и разумного — как культивируют растения, развивая полезные качества и сводя к минимуму вредные.

Поэтому они с Александрой никогда не предадут друг друга. Этого не позволит система их ценностей.

Да, но если... Человек может устать от этой постоянной работы. Махнуть на все рукой и сказать: надоело мне быть добрым и порядочным, всех понимать и со всеми считаться! Больше не хочу, и отныне мне на всех наплевать. Буду думать только о своих удовольствиях, и пропади все пропадом!

Может ведь такое случиться?

Алексей вдруг заулыбался. Все, что он сейчас вообразил, — это карикатура на Александру. Глупость, одним словом. Разве можно одним махом отказаться от того, за что себя уважаешь? Нет, конечно, нет.

Желание немедленно увидеть жену стало настолько нестерпимым, что он решил передоговориться с Игорем, которого обещал вывезти из донниковского имения. В конце концов, Маша может его довезти до станции, а там Игорь доберется до Москвы на электричке... Да, и пусть Машин отчет об утренних переговорах с собой возьмет, вдруг пригодится. Хотя Кис сомневался в том, что кто-то еще, помимо шофера Бориса, смог дать ценную информацию. В лучшем случае люди снова подтвердили, что академик был чем-то озабочен, — вот и все. Тогда как он, Кис, теперь знает точно, чем был озабочен Евгений Дмитриевич. Полученную информацию еще надобно обдумать, но она хороша как раз тем, что уже получена.

С этими мыслями детектив набрал номер своего ассистента.

— У вас есть что-нибудь новенькое? — издалека начал он.

— Есть, — неожиданно сообщил Игорь. — Помнишь, я тебе утром сказал, что Маша проявила инициативу и обзвонила нескольких друзей отца из тех, с кем была знакома лично?

— Да... — ответил Кис, пытаясь угадать, к каким последствиям Машины звонки могли привести.

— Один из этих людей — тоже академик, между прочим, — недавно перезвонил ей. И сказал, что хотел бы познакомиться со школьным другом Жени. Сечешь? С тобой то есть. Он уже едет к Донниковым. Ты далеко?

Алексей прогнал разочарование. Работа есть работа, и она является приоритетом, если уважаешь собственную профессию. А он уважал.

«*Задерживаюсь, не знаю, когда приеду домой, не жди. При возможности позвоню, целую*», — отправил он Александре эсэмэску. Звонить не стал: побоялся снова услышать ее сдержанный — или безразличный? — голос.

Через пару минут пришел ответ: «*Оки* (это был домашний вариант от «ОК»), *не волнуйся, у нас все в порядке*».

То есть Саша даже не расстроилась, что он не едет домой?

Стоп. Кис, уймись, сказал он сам себе. Ты пустился с некоторых пор в подозрения, но подозрения — это ржавчина, которая разъедает душу.

Уймись и займись делом.

Подправив зеркало заднего обзора, детектив завел мотор и тронулся в направлении Новорижского шоссе.

Глава 7

ПРЕЗИДЕНТСКИЙ СУПЧИК

— Он какой-то странный, — шепнул детективу Игорь, открывая дверь дома Донниковых, — все время чему-то радуется...

Алексей вошел в гостиную и сразу понял, в чем дело: академик Виктор Павлович Копылов принадлежал к тому редкому типу людей, чьи губы сама природа сложила в легкую улыбку. Обычно это выглядит очень мило, придавая лицу постоянную доброжелательность, но частенько приводит и к неловким ситуациям: против воли своего обладателя такое лицо улыбается даже на похоронах. А с возрастом улыбка начинает множиться в морщинах и морщинках, и от нее уже не спастись.

Кис понял это по тем усилиям, которые делал Виктор Павлович, безуспешно пытаясь прогнать улыбку со своих губ, — речь все-таки шла о смерти Донникова. И, разумеется, это не «синдром Петрушки» — люди с таким генетическим отклонением страдают умственной отсталостью и академиками не становятся. Просто у природы дрогнула рука, когда она лепила лицо Виктора Павловича. Точно так же, как не повезло другим, чей рот оказался уголками вниз — всегда то ли плаксивая, то ли брезгливая гримаса на лице. Неизвестно, с чем труднее жить.

— Нет, у меня не синдром Ангельмана, — будто догадался о мыслях детектива Копылов, пожимая ему руку и... улыбаясь.

Ангельмана... Кис не знал, что это за зверь такой, но сообразил с учетом контекста.

— Кажется, так называется «синдром Петрушки» по-научному? Что вы, мне подобное и в голову не пришло, — любезно ответил он.

— Очень рад познакомиться с другом моего друга, — все тряс Кисову руку академик. — Я тоже с ним в школе учился, только на два класса старше, что не помешало нашей дружбе.

Алексей намек понял: его раскусили. Виктор Павлович помнит тех, с кем общался маленький Женя. И даже если среди них был Костя Чебыкин, то не с Кисовой физиономией.

— Пойдемте прогуляемся, здесь так чудесно, — Виктор Павлович сделал широкий приглашающий жест в сторону распахнутой во двор двери. — Ничего, если мы оставим вас тут ненадолго одних, молодые люди?

Маша с Игорем закивали.

— Машенька, не сделаешь ли для нас пока чайку?

И, подхватив Алексея под руку, Виктор Павлович повлек его во двор.

— Красота, а? — вздохнул он полной грудью, настойчиво таща детектива в глубь сада, в румяную гущу яблонь, подальше от дома.

Ясно, не хочет, чтобы за ними подсматривали. Или подслушивали.

— Тут нас уже никто не увидит, — притормозил Алексей. — А то еще немного, и мы упремся в ограду.

— Смотрю, вы успели изучить здешнюю топографию... Главное, чтобы нас не услышали. Надеюсь, в деревьях «жучки» не понатыканы.

— Вот как? А в доме есть «жучки»? Вам что-то известно о прослушке?

— *Известно*? Нет. Но я опасаюсь и имею для этого веские основания... Вы кто? — спросил он без перехода. — Утром мне звонила Маша, задавала вопросы. Якобы на них ее натолкнул папин школьный друг, приехавший в гости. Только *мне* не лгите. Вы пытаетесь разузнать подробности о гибели Жени? Вы профессиональный сыщик? Или любитель?

— Частный детектив. — Алексей чувствовал, что с этим человеком он может и даже должен быть откровенен.

— Вас Машутка наняла?

— Да.

— Почему вас? Вы как-то знакомы были раньше?

— Нет, кто-то ей меня порекомендовал... Это вы написали письмо?

— Какое письмо?

Виктор Павлович удивился так искренне, что даже его жутковатая улыбочка на мгновение разгладилась.

— Раз не вы, то нечего и обсуждать.

— Воля ваша. Я буду краток: немедленно бросайте это дело. Вы не только подставляетесь сами, но и Машу подставляете. Мне не нравится, что она обзванивает знакомых и задает вопросы. Это опасно.

— Это совет? Приказ?

— Лучше бы послушались меня без встречных вопросов. Я знаю, что говорю.

— Не тратьте время, все равно не прокатит.

Я не стану объяснять вам причины, по которым я взялся за это дело, — но я взялся. И найду хотя бы часть ответов.

Копылов покрутил головой, будто удивляясь услышанному, но ничего не сказал.

— Судя по вашему предостережению, — продолжал Алексей, — вы полагаете, что имел место не несчастный случай, а убийство?

— А вы?

— Скажем так: я это допускаю.

— Вот и я допустил. Хороший врач не обходится без логического мышления. Для этого необязательно иметь ксиву сыщика.

— Алан Бицаев... вы знакомы? Он тоже друг Донникова.

— Знакомы.

— Он пытался меня убедить в том, что Донников выпил лишнего накануне.

— Он вас не знает. Он не мог сказать вам правду с бухты-барахты.

— Почему?

— О чем мы говорили минуту назад? Соображайте, уважаемый, вы же детектив.

— О том, что Евгений Дмитриевич не мог без посторонней «помощи» слететь в пропасть. Он опытный и аккуратный водитель, он был трезв, дорогу хорошо знал, и «Аннушка масло не разлила».

— *Аннушка*? А, вспомнил... Похоже, мы оба осторожничаем, не зная, можно ли доверять друг другу.

— Верно. Но мне доверять можно хотя бы потому, что я ни в чем не замешан по определению. Я не был знаком с Донниковым, с его работой, коллегами, семьей. А нашему знакомству с Машей всего сутки. Мне даже некому сболтнуть лишнего, поскольку ни одного заинтересованного в ваших секретах лица я не знаю. Зато вы можете оказаться лазутчиком, подосланным убийцей для того, чтобы разведать, что мне известно.

— Браво. Мне нравится, как работает ваша голова. Если — не приведи господь! — вдруг надобность возникнет в сыщике, то обращусь именно к вам... Ну что ж, придется мне, видимо, помочь вам с информацией. Как там у вас с тайной исповеди?

— Если вы не собираетесь признаваться в убийстве, то работает тайна клиента.

Академик Копылов еще раз посмотрел на детектива, еще поизучал его лицо и решился.

— Ладно. То, что я скажу вам... — Он оглянулся по сторонам, вытягивая шею, затем ухватил детектива за рукав и утащил еще поглубже в чащу деревьев. — Об этом Женя никому не говорил, кроме меня... Ну, еще Алан знает. То, что вы сейчас услышите, надо сразу же забыть.

Алексей кивнул. Виктор Павлович тоже кивнул: поверил.

— Женя наблюдал за здоровьем самого президента, — веско проговорил он.

— Об этом в прессе говорилось, хоть и мельком. Так что невелик секрет.

— А вот о чем в прессе не говорилось... Последние несколько недель — последние до гибели Жени Донникова, как вы понимаете, — президенту нездоровилось. Он зачастил к Жене. И тот, осуществив полный спектр исследований, установил, что его *пациента* травят. Не политически, а в прямом смысле, ядом. Каким-то растительным токсином, маленькими дозами. Женя хотел исследовать токсин, узнать, откуда он родом, но привлекать специалистов по редким растительным ядам ему запретили — чтобы волна не пошла. Сказали, что у них есть нужные ученые, обойдутся без помощи Донникова.

— И как, нашли?

— Откуда Жене знать? Он показал результаты анализов своему *пациенту*, объяснил, что к чему, и вызвался исследовать токсин. В ответ *пациент* его сердечно поблагодарил, обещал награду и просил никому не говорить, вообще забыть. Поскольку дальше он будет разбираться сам и помощь академика Донникова больше не понадобится. Женя выписал ему кучу рецептов, назначил разного рода процедуры для очищения организма, на чем они и расстались. С тех пор этот *пациент* к нему не приходил. Зато на Женю вскоре стали покушаться. Теперь вы понимаете, почему я опасаюсь прослушки. Уровень тут такой, что, возможно, уже и вами интересовались...

Вот почему Алан Бицаев так боялся! Теперь ясно: он опасался, что его телефон прослушивается. Уж если Копылов был готов искать «жучки» на яблонях...

— Так вам Евгений Дмитриевич рассказал о покушениях? Давайте сверим версии: я знаю о четырех попытках, а вы?

— О трех...

Понятно: о Лиде Евгений Дмитриевич предпочел умолчать.

— Но вы меня не поняли, — пылко продолжал Виктор Павлович. — Не надо сверять версии — ваше расследование необходимо полностью свернуть! Причем немедленно! И главное, Машу попридержите!

— Не вижу причин для паники. Донников спас жизнь президенту, ему орден нужно дать. И президент академику благодарен. Ему незачем избавляться от своего спасителя! А тот, кто пытался отравить главу государства, уже опоздал: Донников токсин нашел и своему *пациенту* о нем сказал. Тайне не было суждено умереть с академиком, так сказать. Зачем же после драки кулаками махать?

— Вы правы, совершенно правы. Но не так все просто... Женя не только свидетель, но и единственный, кто мог об этом убедительно рассказать и научно обосновать, с формулами и терминами, если кто спросит, — будь то журналисты или органы. Так что некто устранил источник бесценной — в силу своей компетентности — информации государственной важности. Этот некто рассуждал примерно так: пока академик Донников жив, он может проговориться, может в суде стать свидетелем, может интервью дать. А то еще в мемуарах написать. Или в секретном дневнике, который завещает детям... Кому-то этого очень не хотелось.

— Отравителю. Кому же еще. Вернее, той группе людей, которые за этим стоят... Кто-то собирается захватить власть, что ли? И для начала намерен освободить место власти предержащей?

— Вот вы и сами дошли до правильного вывода, поздравляю! — с легкой насмешкой проговорил Копылов. — Осталось вам еще одну вещь понять, и мы у цели.

Алексею не понравился его ироничный тон. Конечно, детектив не силен в дворцовых интригах, но это не повод разговаривать с ним, как с пацаном!

Он хотел было осадить академика, но передумал: какая ему, Кису, разница, в конце концов. Пусть как с пацаном, — главное, не уводить разговор в сторону.

— Какую вещь? — покладисто поинтересовался он.

— Вспомните: Женю настоятельно просили об этом молчать и даже запретили ему поиски природы токсина.

Кис подумал некоторое время.

— Значит, там, в близком окружении *пациента,* догадываются, из чьих рук токсин упал в президентский супчик, и не хотят выносить сор из избы. Будут разбираться по-тихому, между собой. Так?

— Зачет. Если это не полная истина (чего мы никогда не узнаем), то очень близко к ней, тут двух мнений быть не может, — откликнулся Копылов. — Так что расследование, по крайней мере ваше, им не нужно. Допустим даже, найдете вы заказчика убийства — вам некуда будет нести эту информацию. У вас ее не примут. Она лишняя, никем из окружения *пациента* не востребованная, поскольку сору надлежит остаться в избушке, как вы верно заметили. Зато если те, кто с токсином играется, прознают о вашем расследовании, то вам крышка. Найдут в каком-нибудь овраге и вашу машину... с вашими обгоревшими неопознаваемыми останками. А вы еще и Машу в это дело вовлекли! Теперь вы понимаете, что натворили?!

Алексей похолодел. А ведь действительно он подставил девочку... Конечно, он всего этого не знал и знать не мог, и Маша сама его призвала на помощь, но это все жалкие оправдания. Пусть по неведению, но дров он явно наломал!

— Так что быстренько сворачивайте деятельность, — жестко проговорил Виктор Павлович. — И Маше скажите, что отказываетесь. Настоящую причину вы озвучить не можете — значит, придумайте какой-нибудь благовидный предлог. И оставьте этот дом и его обитателей в покое.

Копылов внимательно посмотрел на Алексея, на его растерянное, виноватое лицо и, повернувшись к нему спиной, зашагал к дому. Кис двинулся за ним, с трудом переставляя враз отяжелевшие ноги.

Как ни странно, Виктор Павлович ждал его у двери в дом. Видимо, не хотел провоцировать лишние вопросы со стороны Маши и Игоря, которые удивились бы, что мужчины возвращаются со своей таинственной прогулки поодиночке.

— Чай готов! — радостно объявила Маша, зорко всматриваясь в их лица, будто надеясь прочитать ответы на свои вопросы.

— Деточка, мне пора ехать, ты уж меня извини, старика, — проговорил Копылов, приобнимая девушку за плечики. — Мы так увлеклись воспоминаниями с Костей Чебыкиным, — академик кивнул в сторону Алексея Кисанова (с улыбкой, разумеется), — что я не заметил, как время пролетело... Вы уж попейте чаю без меня.

И он, бросив многозначительный взгляд на детектива, направился к выходу. Маша пошла его провожать.

— Что-то не так, Кис? — обеспокоенно спросил Игорь. — У тебя лицо прям перевернутое...

— Потом.

Алексею чрезвычайно не нравился поворот, который приняло дело. Конечно, его самолюбие было чувствительно задето — он и впрямь выглядел дилетантом, взявшимся за дело, для которого не обладает нужной компетенцией. Кроме того, из полученной информации вытекало, что опасность реально существовала для него и для Маши.

Но...

Во-первых, бросать расследование ему совершенно не хотелось. Вопреки здравому смыслу, да, — но охотничий азарт разыгрался. Он уже влез в семимильные сапоги («Кис в сапогах», как шутил Ванька, его первый ассистент), и шпоры уже позвякивали от нетерпения. Сегодня он много узнал, очень много, и какие-то смутные соображения крутились у него на периферии сознания. Времени поразмышлять над информацией у него не было — осмыслить все и разложить по полочкам, как он любил. Но там было что-то интересное, и Кис хотел докопаться до этого «интересного».

Во-вторых, он чувствовал свой долг перед Машей. Да, Копылов прав: если даже и удастся детективу докопаться до истины, то никуда ее, истину эту, не понесешь. Но ведь Алексей и не собирался. Он работает на Машеньку, это ей нужен ответ. И никому другому докладывать о результатах расследования он не намерен. Будет, конечно, ей больно, если убийцы останутся безнаказанными, — но после получения загадочного голубиного письма она знает, что ее отец не случайно слетел в пропасть. Он убит. И ей нужны хоть какие-то объяснения. «За что?!» — вот первое восклицание, которое вырывается у людей, узнавших об убийстве дорогого человека. «За что?!» — кричит сам человек при виде наведенного на него пистолета. И ответ на этот вопрос первичен.

Кто написал голубиное письмо, зачем? Маша

уже хоть как-то смирилась со смертью отца в ДТП за прошедший месяц — кому понадобилось бередить ее раны и втягивать в опасную игру? Причем из слов Копылова получается, что у Донникова было только два близких друга, которым он доверил тайну: он сам и Алан Бицаев. И ни тот, ни другой письма с голубем не присылали. Бицаев в Адыгее и вряд ли сумел бы такое сложное мероприятие оттуда организовать; Копылов о письме вообще ничего не знал. И главное, считает дело столь опасным, что требует немедленно свернуть расследование. Тогда как письмо, ровно наоборот, расследование инициирует...

Вернулась Маша, проводив Виктора Павловича, принялась разливать чай. По тому, как они с Игорем бросали друг на друга взгляды — теплые такие и радостные взгляды, — Кис окончательно понял, что между ними завязались отношения. Они еще ничего не значат, им день от роду, и завтра можно передумать, причем довольно безболезненно, и сделать вид, будто ничего и не было...

Можно. Но Алексей знал: Игорь не просто поддался чарам Машеньки. Он *позволил* себе поддаться. Никто не может нас очаровать, пока мы не готовы быть очарованными. Значит, место Кристины в его душе если еще не полностью освободилось, то уже частично.

Алексею это представлялось всегда наглядно, как на детском рисунке: будто в душе человека есть некое широкое сиденье и его целиком занимает тот, кого он любит. По-королевски занимает, как трон. Но когда любовь почему-либо ослабевает, то любимый человек подвигается, подвигается на сиденье, пока не окажется на краешке. И тогда рядом с ним образовывается свободное местечко, которое может занять новый человек... Дальше бывает по-всякому, но чаще всего тот, кто сдвигался к краешку, в конце концов с него падает. А новая любовь по-хозяйски усаживается на трон.

Но все эти подвижки и подсидки происходят не сами по себе, а с нашего позволения. Или с нашего попустительства, неважно. Поэтому Кис так и выразился: Игорь *позволил* себе поддаться чарам другой девушки. Маша прелестна, спору нет, но еще месяц назад Игорь бы сказал себе: СТОП. У меня есть Криска. А сегодня он позволил себе если не конкретное «да», то «может быть»...

А не рано ли? У Криски, вероятно, временные заморочки, с ней надо просто поговорить. А уж потом решать.

Не его это, конечно, дело. Алексею не пристало вмешиваться в чужие любовные отношения. Игорь взрослый парень, а Кис ему не папаша...

Но ему было больно думать, что Игорь мог так легко отказаться от Кристины при первой же трудности в отношениях. Тем более что до сих пор у них все шло так гладко! Он любил их обоих и, честно говоря, думал вскоре погулять на их свадьбе...

— Виктор Павлович рассказал вам что-то важное? — сдержанно спросила Маша, ставя на стол выпечку, хотя глазки ее так и сверкали от желания узнать суть тайного разговора.

— Пока не знаю.

— Как это? — удивилась девушка.

— Я получил кое-какую информацию, но мне необходимо ее обдумать. У меня не было для этого времени. Обычно я предаюсь размышлизмам в своем персональном кабинете, — улыбнулся он. — Иначе у меня не получается.

Игорь уловил, что шеф находится в затруднительном положении.

— О, ты знаешь, это уже практически легенда! — весело заявил он. — Алексей Андреевич ДУМАЕТ! Замрите все!

— Так что же, — разочарованно откликнулась Машенька, — выходит, мы целый день собираем информацию, а у вас нет ни одного вывода?

— Есть. Целая куча. Но эту кучу надо привести в порядок, выстроить в цепочку, придать ей вид логичный и завершенный. Завтра, Машенька. Дождись завтрашнего дня, и, обещаю, я тебе выдам что-то внятное. Лады?

Маша удрученно кивнула. Алексей поставил опустошенную чашку на блюдце. Игорь, поняв знак, быстро допил свой чай. Детективы поднялись.

— У тебя какие планы на завтра?

— Урок вождения в одиннадцать.

— В Москве? На Ленинском, как в прошлый раз?

— В Москве, но инструктор хочет меня потренировать на МКАДе. Это серьезное испытание, по его словам, и если я справлюсь, то смело могу идти на экзамен.

— А потом ты куда?

— Сюда. Домой.

— Как только закончишь урок, позвони мне. Может, надо будет встретиться.

Выходя из дома Донниковых, Кис спросил Игоря, не забыл ли он взять Машин отчет.

Игорь не забыл. Кис протянул руку, и Игорь вложил в его ладонь несколько листков, исписанных круглым детским Машиным почерком.

Они спустились со ступенек, сели в джип. Алексей наладил навигатор и тронулся.

— Что-то пошло не так, Кис? — спросил Игорь.

— Пока не знаю, — уклонился от прямого ответа детектив, — слишком много информации, причем противоречивой. Мои мозги еще не успели ее обработать, я Маше правду сказал.

— Ну-ну, — недоверчиво произнес ассистент.

Алексею было понятно, почему недоверчиво: Игорь знал, что в трудных случаях шеф любил рассуждать вслух, внимательно слушая реплики своего ассистента, частенько полезные. А тут вдруг повышенная секретность... Но ту часть информации, которую детектив получил от шофера, а позже у Лиды, рассказать вполне можно, счел Алексей и пустился в повествование.

— Мотоциклист, — задумчиво проговорил Игорь, когда шеф умолк, — везде мотоциклист...

— Доказательств, что в мединституте был тоже он, нет. Но думаю, он. В трех из четырех покушений засветился мотоциклист. Логично предположить, что на все наняли одного и того же человека.

— Конечно. А там, в институте, какие могут быть доказательства? Он же не круглый идиот, чтобы нападать на академика со шлемом под мышкой! Он или не на своем мото приехал, или... Ну, на улице шлем он оставить не мог: враз украдут, сам знаешь. Зато, я уверен, расспроси мы вахтера, тот припомнит, как сторожил чей-то шлем за сотенку.

— Если у них там есть вахтер... Съезди завтра в этот институт, я тебе адресок запишу. Вдруг он так-таки существует и даже сумеет дать устное описание этого парня! Он ведь видел его без шлема.

— Заметано, — кивнул Игорь. — Кис, а что тебе Копылов рассказал? На тебе лица не было, когда ты с прогулочки вашей вернулся.

— Ничего особенного. Я просто устал... Скажи-ка, — Алексей посмотрел на парня, — у тебя что-то с Машей намечается?

Нужно было срочно сменить тему в силу ее повышенной секретности и клятвенного обещания детектива детали беседы с академиком Копыловым не разглашать. И Кис не нашел ничего лучшего, как завести разговор о делах сердечных.

— Она мне нравится.

— Мне тоже, — пожал плечами детектив. — Но из этого еще ничего не следует. А у вас, судя по переглядушкам, что-то уже следует...

— Я знаю, к чему ты ведешь. Поэтому информирую тебя, не дожидаясь вопроса: Кристина мне сегодня позвонила и сообщила, что получила грант из университета Монреаля.

— По социологии? Криска ведь социологию изучает, память мне не изменяет?

— Ее самую. А в Канаде социология как наука очень развита.

— Так это здорово? Или нет?

— Смотря для кого. Она уезжает в Канаду на год.

— Вот как...

— Вот так. Сказала, что за это время, вдали от меня, она надеется в себе разобраться. И преодолеть комплекс благодарности.

— Ага...

Алексей решительно не находил слов, чтобы как-то Игоря поддержать. Похоже, что совсем недавно выросло новое поколение женщин, у которого ценности ощутимо отличались от поколения предыдущего. Его жена, Александра, с боем отвоевывала свою личностную независимость; а нынешним девушкам эта независимость будто изначально, при рождении, в пеленки подложена. Пусть не всем, но многим. И это хорошо, конечно. Только непривычно. Особенно в пору, когда надо создавать семью. Раньше все они, за редким исключением, были такими «курочками», как Лена, как Лида, — мужчины их не уважали, но алгоритм их душевно-жизненных устремлений был потенциальным женихам понятен и приятен. А нынче исключения становятся правилом, приводя в растерянность будущих мужей...

Некоторое время они ехали молча. Темнело, вдоль шоссе вспыхнули мощные фонари, мгновенно сделав обочины совсем черными.

— Ночью я заходил к Маше... — вдруг произнес Игорь. — Пока ты беседовал с бабушкой. Я услышал, что она плачет, и вошел в ее комнату. Ничего не было, не думай, мы даже не разговаривали, я просто присел на краешек кровати и гладил ее по волосам, пока она не заснула... Кис, я впервые за долгое время почувствовал себя нужным, полезным. Потому что Криска слишком независима, ей никогда ничего не надо, со всем она справляется сама, отвергая мою заботу... А когда я попытался сделать ей предложение, то...

— Ты предлагал ей пожениться?! — удивился Алексей, который о таком торжественном событии слыхом не слыхивал.

— Да. Это было не слишком романтично по форме — все-таки мы уже три года вместе. Я просто сказал: не пора ли нам подумать о совместной жизни? И тут она мне эту хренотень выдала насчет комплекса благодарности... А теперь, видишь, на год решила уехать от меня, чтобы со своим комплексом разбираться.

— Ты знал об этом гранте или она тебе вообще ничего не говорила?

— Говорила, что подала заявку. Но я как-то не придал значения. Наверное, просто не ожидал положительного решения... И теперь я не понимаю, как на эту новость реагировать...

Сказать по правде, Алексей не знал, что парню посоветовать. Он не представлял, хочет ли Кристина в самом деле расстаться с Игорем, или у нее действительно какие-то внутренние проблемы...

Они уже подъехали к дому на Смоленке, как вдруг Алексей произнес:

— Спроси ее прямо... Хотя нет, не спрашивай. Скажи, что ее любишь. И что уважаешь ее свободу. Посему не станешь препятствовать ее выбору. Раз ей надо ехать, пусть едет — но ты будешь страшно скучать.

— Она это все и так знает.

— Не важно. Знать и слышать — разные вещи. Сестрица Сашина, Ксюха, любит цитировать одну французскую поговорку. Может, немного переврy, но смысл такой: конечно же, все и так понятно, но лучше это произнести вслух. Вот и произнеси. И посмотри, что она тебе на это ответит. И как ответит. Тогда ты все поймешь.

— Надеюсь... Спасибо за совет, Кис. Ты в кабинет или домой?

Шел одиннадцатый час вечера. Было бы неплохо забраться за свой письменный стол, потому что он почти физически ощущал, как в его мозгу громоздится куча не осмысленных за нехваткой времени догадок — уже в черепную коробку уперлись! Но и домой хотелось. Он не виделся со своими со вчерашнего дня. Да и с Сашей надо как-то... Каким-то образом... В общем, нужно выяснить, что с ней происходит.

— Домой поеду, Игорек.

Он высадил парнишку, развернулся и направился в сторону проспекта Мира.

На проспекте он заметил открытый цветочный магазин. Пристроил тачку у тротуара, выскочил, выбрал небольшой букет в пастельных тонах — Александра не любила слишком пышные, слишком яркие и претенциозные. Вернувшись в машину, он позвонил жене:

— Я еду домой... Ты еще не ложишься?

— Я никогда не ложусь в это время, разве ты не знаешь?.. Алеш, да что с тобой происходит? Ты в последнее время сух, задумчив...

— Я?

— Словно отсутствуешь.

— Я?

— Ты меня разлюбил?!

— Я?!

— Ты бы предпочел, чтобы я уже ушла спать? Чтобы меня не видеть?!

— Я???

— Ну не я же!

— Ты, Саша, Сашенька, милая, — **ты**! Это ты в последнее время... Ты стала задумчивой, отстраненной, какой-то совсем, не знаю...

— Я-а-а???

— Слушай, я уже подъезжаю. Купить что-нибудь на ужин? Ты ведь меня не ждала...

— Не надо, полный холодильник еды, приезжай скорее! Я сейчас кину что-нибудь на сковородку...

— Похоже, у нас какое-то недоразумение случилось. Я думал, что ты... А ты, оказывается, думала, что я... В общем, ерунда вышла какая-то... Я сейчас буду, Саша, жди!

Открыв дверь, он попал в объятия Александры.

— Какие мы глупые, даже смешно, ну как дети, ей-богу!— шептала она, тычась ему в шею лицом.

Она потащила его за руку в кухню, где сумасшедше пахло жареной картошкой с грибами, перехватила букет, ловко развернула его и поставила в вазу: «Мои любимые...»

— Малышня спит?

— Спит. Так ты меня не разлюбил?

— А ты меня?

Они посмотрели друг на друга и тихо засмеялись. Потом все громче, громче, — они хохотали, пока не пришлепал босиком сонный Кирюша и не заявил, что родители мешают ему спать.

Глава 8

МАШИНЫ ЛИСТОЧКИ

Утомленные бурной ночью — яркой и оглушительной, как фейерверк, — они никак не могли проснуться. Так бы и нежились в постели до полудня. Но у Александры сегодня был присутственный день в редакции, Алексею требовалось уединение в кабинете для «размышлизмов», а детям пора завтракать. Пришлось вставать.

Саша быстро накормила малышей, пока Алексей принимал душ, затем сама ушла в ванную, пока он готовил их с женой завтрак. Наконец уселись за стол.

— Няня когда придет? — спросил Алексей, хрустя тостом.

— Сегодня дети гостят у бабушки. Я собиралась отвезти их по дороге в редакцию, но раз ты едешь к себе на Смоленку, то завези их сам. Тебе там рядом.

— С удовольствием.

— Урра! — Лиза с Кирюшкой — ушки на макушке, кто бы сомневался, — заглянули на кухню. — Мы с папой!

Они немедленно ухватили папу за руки с обеих сторон и принялись тащить его в разные стороны, каждый к себе.

— Папа не закончил завтрак. Уймитесь, —

строго произнесла Александра, стараясь не улыбаться.

— А мороженое купишь по дороге? — поинтересовался Кирюша.

— Мне в шоколаде! — заявила Лизанька, не дожидаясь папиного согласия.

— Вы свои вещи уже собрали? — Алексей тоже старался казаться строгим.

— Собрали! — уверенно заявил Кирюша.

— Еще чуть-чуть осталось, — Лиза свела свои маленькие пальчики, образовав между ними щелочку, должную показать, какое малюсенькое «чуть-чуть» осталось.

— Понятно, — встала Александра. — Пошли делать инспекцию.

Это означало, что Кирюшкин рюкзачок придется складывать заново, а из Лизиного убрать как минимум половину, поскольку маленькая модница напихала туда едва ли не все свои платьица.

Проходя у Алексея за спиной, Саша наклонилась и поцеловала его в шею.

— Любовь моя, — шепнул он и, поймав ее руку, прижался к ней щекой, почувствовав себя счастливейшим из людей.

Кис стоял в пробке, когда зазвонил его мобильный. Обычно он избегал телефонных разговоров за рулем — не страшно, люди оставят сообщение, потом он им перезвонит, — но высветился Машин номер. А он сам просил ее позвонить после урока вождения. Посему, воткнув наушник в ухо, он нажал на зеленую кнопку.

— Алексей Андреевич, меня хотели убить! — прокричала Маша, задыхаясь то ли от бега, то ли от страха.

— Где ты, что случилось, Маша, что?!

Кис хотел добавить: «Я сейчас приеду!», но бросил безнадежный взгляд на орду машин, плотно взявших осадой его джип. К тому же в салоне сидели дети, он еще не довез их до Сашиных родителей...

— Я закончила урок, решила перекусить, тут большой коммерческий центр рядом со МКАДом, там есть кафе, рестораны... — Машин голос срывался, казалось, все ее горло вибрирует от пережитого ужаса. — Только я поставила свой «Купер» на стоянке и пошла к кафе, как на меня понесся мотоцикл! Он прямо на меня летел, он хотел меня сбить! — кричала девушка в трубку. — Я еле успела вскочить в проход между машинами! Алексей Андреевич, мне страшно, я поеду домой!

— Нет, Машенька, нет! Послушай меня, пожалуйста! Бегом в это кафе и жди меня внутри. Я сумею подъехать часа через полтора... («...надеюсь», — мысленно добавил он.) Поешь пока, чаю выпей, не знаю... Главное, не выходи оттуда, я тебя заберу и отвезу домой, слышишь?

— Нет, я боюсь! Я в своей машине, я боюсь из нее выходить, я лучше домой поеду! — В ее голосе слышались рыдания.

— Маша, нет! Прошу, дождись меня! Или вот что сделаем: я сейчас же позвоню Игорю, он сумеет добраться до тебя раньше!

— Я хочу домой. Мне надо спрятаться. — Алексей услышал, как заурчал мотор ее «Купера». — Вдруг убийца рядом? Вдруг у него пистолет? — лихорадочно проговаривала она. — Он может выстрелить через стекло. Или ломом разбить окно машины...

— Маша!!!

— Все, я еду, все! Перестаньте меня уговаривать! Приезжайте ко мне на Истру, если хотите поговорить, а сейчас не мешайте. Мне надо сосредоточиться. Мне надо перестать плакать. Слезы мешают видеть дорогу!

Раздался глухой звук удара — видимо, Маша бросила телефон. Наверное, метила на соседнее сиденье, но не рассчитала, и аппарат то ли стукнулся о дверцу, то ли слетел на пол.

Что же она делает, эта девочка?! И без того неопытный водитель, она сейчас выруливает на МКАД в слезах, и вряд ли ей удастся сосредоточиться на дороге... Так она сама себя угрохает! Повезет убийце...

Кис безуспешно кричал ей в трубку до тех пор, пока Кирюша не начал плакать. Алексей оглянулся на детей. Лизанька смотрела на него огромными испуганными глазищами, Кирюшка тоненько скулил: малыши испугались.

Алексей нажал на кнопку отбоя.

Сердце его бешено колотилось. Снова мотоциклист, здесь все связано. И причиной покушения на Машу стала его, Киса, неосторожность. Это он виноват, он! Это он попросил Машу опросить близких. Это он столь легкомысленно взял девочку в напарницы! Видимо, ее звонок испугал того, кто причастен к убийству академика. И прямо с утра он послал мотоциклиста — наверняка того же самого, который покушался на Донникова, — следить за девочкой, поджидая удачного момента, чтобы с ней расправиться...

Алексей горестно качал головой, сам того не замечая. Моя вина, мэа кульпа[1], мэа. Да, он тогда

---

[1] Mea culpa (*лат.*) — моя вина.

 еще не знал, в каких высотах власти запуталась эта криминальная история. Да, Маша сама проявила инициативу, не спросившись, когда принялась обзванивать друзей своего папы. Но ведь все равно из-за поручения, данного ей детективом! Она старалась быть полезной. Дитя, ребенок, маленькая славная Машенька — она, сама того не ведая, ткнула своим детским пальчиком прямо в осиное гнездо! А он, детектив хренов, даже со списком ее вчерашних звонков до сих пор не ознакомился! Теперь совершенно ясно: среди прочих Маша позвонила тому, кто пытался ее сегодня убить. Кто послал парня на мотоцикле. Как и тогда, когда охотился за ее отцом. Иначе и быть не может, одно с другим связано, это не совпадение, нет...

Он снова набрал номер девушки, но ее телефон не отвечал. Не хочет брать трубку, видимо...

Надо срочно отправить к ней Игоря. Алексею еще не скоро вырваться из пут столичных заторов, а ассистент, будем надеяться, сразу двинется в сторону Истры, ловко объехав основные магистрали, забитые до предела...

Он тут же набрал номер Игоря.

Но тот не отвечал. Да не просто не отвечал, а был вне доступа.

Через несколько минут Алексей повторил набор — учитывая пробку, он ничем не рисковал, говоря по телефону за рулем, — с тем же результатом. Еще раз, затем еще... После чего Кис пришел к выводу, что парень отнюдь не находится вне зоны доступа (в Москве такие зоны не длятся больше пары минут, если только ты не в подземке), а выключил аппарат.

Но если выключил...

То с наибольшей вероятностью он находится там же, где и Кристина: выясняют отношения.

Детектив ей никогда не звонил, но номер у него, кажется, есть... Да, точно, вот он! Алексей с трудом отыскал его в списке контактов, поскольку записал по привычке на фамилию, да вот только вспомнил ее с трудом.

— Кристина? Это детектив Кисанов, Алексей Андреевич.

— Здравствуйте... — девушка удивилась. — Рада вас слышать. Как вы поживаете?

— Здравствуй. Извини, Крис, мне сейчас не до обмена любезностями, мне срочно нужен Игорь. Он с тобой?

— Да. Передать ему трубку?

— Будь добра. И, Кriska, мне придется забрать его у тебя.

— Ничего, Алексей Андреевич, — любезно ответила девушка, — мне все равно в бассейн пора ехать, мой сеанс начинается. Игорь, держи!

По голосу было понятно, что молодой человек расстроен, но обсуждать его отношения с Кристиной сейчас не время.

— Машу пытались убить. И опять мотоциклист.

Игорь тихо ахнул, и детектив изложил ему то немногое, что знал. Затем распорядился срочно ехать к Донниковым, при этом каждые пятьдесят минут набирать Машин номер. Если дозвонится, уговорить девочку остановиться где-то по дороге и дождаться Игоря. В ее состоянии вести машину крайне опасно, и было бы отлично, если б ему удалось посидеть с девушкой где-то в кафе, успокоить ее... С учетом их теплых вчерашних переглядушек, у Игоря куда больше шансов на успех, чем у детектива. Только б он дозвонился...

— Кис, не психуй. Я выезжаю немедленно. В сторону пригорода движение в эти часы не такое интенсивное, я быстро доеду до Маши, где бы она ни находилась.

Алексей немного успокоился, перевел дух. На Игоря можно положиться. Он сделает все, что в его силах. И что позволят ему обстоятельства, конечно.

Тормознув на очередном светофоре, он вытащил из портфеля Машины листочки. Положив первый на руль, он принялся читать список тех, кого девочка опросила и обзвонила прошлым утром.

Первыми шли члены семьи: тетя Наташа и Лена (бабушку Маша исключила, как Алексей и сказал). К обеим были приписаны комментарии Маши:

«Наташа ничего не заметила. Я бы удивилась иному, моя тетя живет в воображаемом мире».

«Леночка в своем репертуаре. Как только я спросила ее про папу, она тут же перевела разговор на грозящую ей с детьми нищету, ненайденное завещание и тд вместе с тп».

Дальше шли цитаты из бесед с обслуживающим персоналом.

Бабушкина компаньонка Анна Ивановна: «Печальный был, да».

Повариха: «Нервозный какой-то».

Уборщица: «Рассеянный стал. Будто не видит никого».

Но ни одна из женщин не смогла добавить к этому хоть малюсенький фрагмент ценной информации. Задавать вопросы они не осмелились, а сам Евгений Дмитриевич никаких комментариев не обронил.

Обитатели участка, цветоводы Инга с Леонидом и садовник Васильич, те просто-напросто Евгения Дмитриевича давно не видели. Не заходил он к ним, пожалуй, с начала лета, и сказать им было нечего.

Ну что ж, детектив иных ответов и не ждал. По крайней мере, после разговора с охранником Федей, тайным наблюдателем смены масок, с помощью которых Евгений Дмитриевич пытался скрыть от домочадцев свои, мягко говоря, неприятности.

На вторую страницу он успел лишь бегло глянуть: оказывается, он все-таки дополз до перекрестка, на котором зеленый зажигался уже раз семь, но пропускал он лишь небольшие порции стоявших далеко впереди Алексея машин. Наконец и его джип подтянулся непосредственно к светофору — и, ура, он проскочил этот проклятый Бермудский треугольник, в котором время исчезало загадочно и бесследно.

Насилу добравшись до Сашиных родителей и передав им малышей, он позвонил Игорю.

— Не отвечает. Вне доступа, — лаконично отчитался парень. — Выключила.

— Или контакты отошли, когда она бросила телефон... Позвони мне, как только доберешься до дома Донниковых.

— А ты куда?

— Туда же, следом за тобой. Вот только вырвусь из центра, а там должно быть полегче.

В этот дневной час движение в сторону пригорода было и впрямь поспокойнее, больших заторов не наблюдалось, и Алексей рулил довольно резво. Что, однако, мешало ему продолжить чтение Машиных листочков. Лишь на одном светофоре, чуть подзастряв, он успел бегло просмотреть продолжение списка. Ого, девочка даже брату и сестре позвонила в Лондон! И единокровной сестре Юле, и — вот уж совсем удивительно — ее матери! Инной вроде бы ее зовут. Маша имя не упомянула, написала: «Юлина мама». Однако, по словам бабушки, Женя Донников с ней совсем не общался. Интересно, по каким соображениям Маша решила с ней поговорить? Надо будет у нее спросить. Девочка может знать то, чего не знает ее бабушка.

Придется ей посидеть в фамильном особняке какое-то время. И пусть охранник, Федор, смотрит в оба в свои камеры. Маловероятно, что дом станут брать штурмом (академик тоже так считал), но все-таки придется быть начеку. Вдруг кто-то вздумает пробраться к Донниковым... Все зависит от того, насколько опасной Маша показалась убийцам. Может, Игорь вызовется с Машей побыть несколько дней? Приказать ему нельзя: охрана клиента не входит в обязанности конторы частного детектива. Но если Игорь сам...

Правда, в таком случае — с учетом тех волн, которые уловил Алексей прошлым вечером, — разрыв с Кристиной неминуем. Но это дело Игоря. Их с Криской дело. А вот за Машу детективу будет спокойнее.

Главное — сосредоточиться наконец на всем

услышанном вчера. Алексей как раз намеревался поразмышлять об этом в тиши своего кабинета, да не вышло. Зато у него есть время подумать сейчас, по дороге. Водит он машину столь давно, что реагирует на знаки и обстановку рефлекторно, на автомате, и вполне может позволить себе роскошь погрузиться в мысли за рулем.

Итак, если совместить две истории, услышанные им вчера — одна от шофера Бориса о покушениях, другая от академика Копылова о тайных играх на самой вершине власти, — то многое становится понятным. Точнее, такое впечатление возникает: ведь заказчик — тот, которому выгодна смерть Донникова, — сразу вырисовывается. При внимательном же рассмотрении эта объединенная история обнаруживает множество странностей, отчего становится только запутаннее.

Первая странность заключается в выборе мотоцикла как орудия убийства. Орудие ненадежное, мотоциклисты чаще гибнут сами, чем становятся причиной чужой смерти. Чтобы убить человека, нужно в него хорошенько врезаться на большой скорости. Но в этом случае водитель сам рискует вылететь из седла и расшибиться насмерть. Или покалечиться — что означает попасть в больницу и подвергнуться допросам полиции. И это еще лучший вариант, поскольку в худшем он рискует остаться в инвалидном кресле до конца своих дней. Всяко бывает, конечно, и в сводках по ДТП зафиксированы случаи, когда человек на мотоцикле ухитрялся насмерть задавить прохожего, причем случайно, а сам при этом скрыться, — значит, из седла не вылетел и не покалечился. Но это из разряда слепого везения, и ставку на такой исход можно делать лишь по глупости и самонадеянности. Еще можно делать ставку при условии, что мотоциклист — каскадер. Но реальность свидетельствует против подобного предположения: он дважды пытался наехать на Донникова и оба раза промазал.

Вторая странность заключается в выборе данного мотоциклиста.

Как следует из рассказа академика Копылова, Донников нечаянно влез в интриги на самом высоком уровне. Кто-то хотел отравить *Президента*, подумать только! И отравитель понял, что он разоблачен. И узнал (или догадался), *кто* его разоблачил.

Откуда мы это знаем? Ну не то чтоб знаем, но такова логика вещей: Президент отказался от дальнейших исследований токсина силами академика, отстранил его. У него имеются свои люди — свои химики, биохимики, биологи, ботаники — кто там еще? Ключевое слово тут СВОИ.

Кроме того, у него имеются свои сыщики, следователи, дознаватели. И все эти люди принялись вычислять отраву и отравителя. И собирать доказательства.

Волна, пусть едва заметная, не могла не пойти. Утечки всегда происходят, даже в самом секретном деле. Кто-то сболтнул за деньги, кто-то от недержания речи. «Отравители» учуяли, что на них готовится облава. И принялись зачищать все и всех, кто мог хотя бы отдаленно-потенциально указать на них пальцем.

Донников, пусть и отодвинутый от дела об отравлении, все равно представлял угрозу для отравителей. Как сказал Виктор Павлович Копылов:

«Женя не только свидетель, но и единственный, кто мог об этом убедительно рассказать и научно обосновать, с формулами и терминами, если кто спросит, — будь то журналисты или органы».

Подобраться к Президенту настолько, чтобы иметь возможность травить его постоянно и небольшими дозами, могли лишь близко стоящие к нему люди. Алексей не любил «игры престолов» и ими не интересовался, но даже школьнику ясно, что устранить Президента рискнет исключительно тот, кто не просто жаждет сесть на трон сам (или, как вариант, посадить своего ставленника), — но и имеет для этого определенные возможности. То есть нетерпеливо переминается прямо возле трона. А это уровень супервысокий, на котором есть все возможности, в том числе и для того, чтобы нанять аса из асов — такого же крутого, какой орудовал позже в Адыгее. Однако покушался на Евгения Дмитриевича отнюдь не ас, а какой-то комик из школьного драмкружка.

Дважды он пытался сбить академика на пешеходном переходе, но неудачно. Затем кто-то пытался столкнуть академика с лестницы в мединституте. Скорее всего, тот же самый мотоциклист — по словам Лидии, голос у него молодой, как раз подходит под возраст студента, что дало ему возможность затесаться в институтскую толпу, не выделяясь из нее и не привлекая к себе особого внимания. Однако и там покушение прошло неудачно.

Тем не менее заказчики на этом парне отчего-то зациклились. *Замотоциклились*, хмыкнул Кис. Несколько дней спустя он снова появляется в кадре нашего кино. На этот раз для того, чтобы запугать и подкупить Лиду, требуя оставить в следующее свидание с Евгением Дмитриевичем дверь в квартиру открытой. То есть заказчик давно следил за Донниковым и знал о его любовной связи с Лидой, придумал, как эту информацию использовать в своих интересах, и нашел исполнителей. На куртуазные переговоры с любовницей академика отправили мотоциклиста, который в этот раз ничем не рисковал, маскировка у него что надо: под шлемом ни лица не разглядеть, ни цвет волос, ни даже рост не определить толком.

Итого мотоциклист возникал четыре раза. Три из которых точняк и один, в мединституте, предполагаемый. Но Алексей убежден: наемник все тот же. Никакого смысла привлекать еще одно лицо в эту цепочку у заказчика не было, раз уж он от услуг мотоциклиста сразу, после первой же промашки, не отказался.

Вопреки всякому здравому смыслу Алексею отчего-то представлялась влюбленная женщина, которая видит в этом парне героя и преданно, самозабвенно верит в него, несмотря на все его проколы. «На тебе сошелся клином белый свет...», тра-ля-ля. Да, не логично это — какая, к черту, влюбленная дама, если речь идет о политическом клане, пытавшемся устранить Президента?!

Нелогично. Зато весьма *психологично*. Потому что ни один серьезный человек не стал бы ни нанимать, ни тем более терпеть этого дилетанта. А вот влюбленная дама...

Черт знает что!

Подвиги мотоциклиста заканчиваются на переговорах с Лидией, и в игру вступает новое лицо. Заказчик, видимо, счел этого парня неподходящим для серьезного дела. И главное, возраст у него не тот, чтобы выдавать себя за бывшего мужа Лиды. Посему в ее квартиру отправлен другой исполнитель: мужичонка с крепкими кулаками и внешностью бомжа. Но цель осталась прежней: убить Евгения Дмитриевича. Избивал этот хрен Донникова всерьез, и если б шофер не подоспел, то наверняка бы прикончил. Кулачищами-кувалдами или ножом, дело не в средствах, а в цели.

Соседи потом показали бы, что мужчина ревновал Лидию, — о чем он очень громко кричал, отнюдь не случайно выбежав в общий коридор! — потому и напал на ее любовника... Сам он наверняка рассчитывал смыться раньше, чем приедет полиция (если б ее вызвали соседи), и Лиде пришлось бы несладко: объясняться с операми, почему перед ее дверью лежит труп знаменитого академика и что там за муж ревнивый у нее объявился.

А вот Борис с Донниковым дали маху, не сдав этого типа полиции. Ему бы там хоть какой-никакой допрос учинили. И, узнав, что Лида замужем никогда не была и что этот тип вовсе не муж ей, даже не бывший, мужичка бы прижали как следует. Правды бы он не сказал, это вряд ли, но пустился бы врать. А во вранье почти всегда есть зацепки и наводки, с помощью которых можно выжать хотя бы часть правды...

Понятно, академик с шофером рассудили, что сами рискуют задержаться в полиции в связи с расквашенной мордой мужика. И еще, наверное, Евгений Дмитриевич, как истинный джентльмен, не захотел склонять имя Лидии... Да и свое тоже, без сомнения. Точнее, в первую очередь свое.

Ход мысли детектива неожиданно нарушили гудки автомобиля позади.

— Эй, козлина, спишь, что ли?! Зеленый, твою мать!!! — проорал ему в спину нежный девичий голосок. Похоже, некоторым особам женского пола эмансипация боком вышла.

Алексей тронулся. М-да, хоть у него и опыт, и управляет он машиной почти на автомате — но слишком погружаться в мысли все же опасно, напомнил он себе...

И тут же погрузился обратно. Время поджимало: ситуация обострилась, теперь и Маша под угрозой!

Ну, еще — даже неловко признаться — Алексей ловил кайф от своих *размышлизмов*. От логических цепочек, уравнений, сложений и вычитаний... От интеллектуальной работы, словом.

...Поразительно, но новый исполнитель тоже оказался какой-то подделкой. Беззащитного ученого он убить сумел бы, сомнений нет, но первый же крепкий удар Бориса мгновенно вмазал его в стену. То есть мы опять имеем дело с самодеятельностью. Ничего общего с профессионалами.

Тогда как в Адыгее сработал ас. Алексей снова быстро перебрал в уме те выводы, которые они сделали с Игорем, изучая карты места происшествия. Да, сомнений нет: отправить в пропасть машину академика мог только настоящий каскадер.

Почему же заказчики в первых четырех попытках оплошали? Почему наняли дилетантов?

Пожалуй, все эти случаи роднит лишь одно: везде они пытались придать видимость несчастного случая. Случайного наезда, случайного падения с лестницы, случайной разборки с каким-то под- давшим кретином, который вообще мог спьяну ошибиться адресом и женой...

Однако не настолько роднит, чтобы понять логику, по которой заказчик убийства нанимал сначала дилетанта — что стало ясно очень быстро, после первого же провала задания, — а затем высококлассного специалиста по устранению.

А самое странное во всем этом...

Снова кто-то позади него принялся сигналить, и Алексей, очнувшись, понял, что невольно сбавил скорость, оставаясь при этом в крайнем левом ряду. Оказалось, что он уже выбрался из города и ехал по Новорижскому шоссе, относительно свободному. Если так пойдет дальше, то минут через сорок-пятьдесят он доедет до имения Донниковых.

Он перестроился вправо и вернулся к своим мыслям.

...А самое странное во всем этом...

Допустим, «каскадера» они наняли, когда узнали, что академик решил отдохнуть в Адыгее. Или, будем точны, решил туда сбежать. Заказчики поняли: Донников не заблуждается насчет всех этих «случайностей». Было очевидно, что на его жизнь покушаются, и он решил уехать из Москвы подальше. И тут заказчики решили действовать наверняка. Разочарованные предыдущими исполнителями, на этот раз они наняли настоящего виртуоза. И тот наконец преуспел.

Логично?

Вполне. Но...

Но не *психологично*. Потому что заказчики убийства академика — это люди, находящиеся на вершине государственной власти. И они привыкли выбирать лучшее. Лучшие машины, костюмы, часы, рестораны, отели. Лучший персонал для своих надобностей. В их распоряжении имеются и средства, и связи, чтобы с самого начала нанять настоящего виртуоза заплечных дел. Который не промазал бы. И уж точно не четыре раза подряд.

Главное, ни за что не стали бы люди с подобными возможностями снова поручать мотоциклисту, провалившему прежние задания, расправиться с Машей!

Вот оно, *самое странное*: опять возник лузер на мотоцикле. Это уже ни в какие ворота не лезет. Никакой логике с психологией не поддается. В уравнении что-то явно лишнее. Что-то прокралось в него самозваное, поддельное, как если бы вместо «a + b = c» вдруг на месте «b» оказался японский иероглиф.

Что именно?

Глава 9

МИНУСЫ ХОРОШЕГО ВОСПИТАНИЯ

Звонок вернул Алексея к действительности. Он посмотрел на дисплей: Игорь.

— Ты уже доехал до Донниковых?

— Да. Кис, тут...

— Как Маша? — перебил его детектив. — Знаешь, я вот о чем подумал: ты поосторожнее с ней. У нее не осталось близких, и она может в два счета влюбиться в того, кто проявит сочувствие и заботу. Особенно если это такой гарный хлопец, как ты. Будь с ней сдержан, Игорь. Ты еще не разобрался с Криской...

— Кис...

— Я не хочу, чтобы Маше пришлось зализывать потом раны. У нее их слишком много, понимаешь?

— Ки-и-ис!!!

— Что?

И вдруг Алексей похолодел. Что-то случилось. Что-то плохое.

— Игорь? Не тяни, говори!

— Так я пытаюсь... Маша пропала. Она должна была приехать уже час назад, даже больше... Но не появилась дома. И телефон ее по-прежнему выключен...

— Я скоро подъеду, — проговорил детектив без всякого выражения.

— Она могла остановиться в кафе или где-то еще, в магазине, к примеру, правда ведь?

— Конечно. Жди меня.

Ни в каком кафе или магазине Маша остановиться не могла, Кис знал, потому что ее трясло от страха при одной мысли о том, что придется выйти из машины. Мотоциклист появился так внезапно, будто из воздуха, — и теперь ей кажется, что в любом месте и в любую минуту этот фокус может повториться.

И все же паниковать рано. Даже самому развитому воображению не всегда удается представить причины, по которым человек задерживается. Допустим, у Маши посреди пути кончился бензин или в машине возникла неисправность, при этом телефон у нее не работает — и ей пришлось голосовать на шоссе. Пока кто-то остановился, пока вызвал техпомощь или взял «Купер» на буксир... Это только один из вариантов, а их может оказаться еще много. Так что не стоит волноваться раньше времени...

Легко сказать. Да трудно последовать собственным разумным рекомендациям.

Ничего, ничего. Надо просто подождать. Вдруг прямо сейчас зазвонит телефон, и Машин номер высветится на дисплее. Или распахнется тяжелая дубовая дверь особняка Донниковых, и девушка войдет в дом, а там ее встретит Игорь...

Нет, не зазвонил у Алексея телефон. А дверь тяжелая-дубовая распахнулась, когда он сам в нее вошел.

Все домашние — Лена, Наташа, компаньонка

бабушки Анна Ивановна, горничная Дина, повариха Люба и даже охранник Федор вышли в холл встречать «друга Евгения Дмитриевича» и смотрели на него с таким ожиданием и надеждой, будто он приехал с разумным объяснением исчезновения Маши.

Кис покачал головой, и надежда утекла с лиц.

— Как я понимаю, никому из вас Маша не звонила...

— Никому. Мы только бабушку не спросили, — произнесла Лена. — Вряд ли она что-то знает, а волновать ее не хочется...

— Согласен. А священника?

Все переглянулись, словно только сейчас вспомнили о его существовании. К нему редко наведываются обитатели этого дома, он сам об этом Алексею сказал.

— Кажется, к нему никто не сходил... — произнесла Наташа своим хрипловатым прокуренным голосом.

— А Игорь где?

— Здесь, — молодой человек появился на пороге гостиной. — Я говорил с отцом Нилом. Он ничего не знает.

— Так. Понятно, — произнес Алексей, хотя ничего ему понятно не было.

Он отвел Игоря чуть в сторону и спросил очень тихо:

— Ты им сказал про попытку наезда?

Ассистент отрицательно качнул головой. Кис показал ему большой палец: мол, правильно.

Значит, домашние страшных подробностей не знают и забеспокоились лишь потому, что Игорь невольно поднял волну, когда приехал в усадьбу и не нашел здесь Машу.

— Давайте не будем пока переживать, —

громко обратился он к собравшимся. — Ничего страшного не произошло: Маша сказала, что едет домой, да, но она могла сто раз передумать и свернуть, к примеру, в какой-нибудь торговый центр, чтобы пройтись по бутикам.

— А что ж она нам не позвонила? — недовольно спросила Леночка. — Мы же волнуемся!

Глядя на ее личико, это сложно заподозрить, подумал Кис.

— И вообще, она всегда сама по себе, отчета никому не дает, — продолжала Лена, — никто и не переживает, где она там ходит. Только зачем было говорить, что едет домой, если не поехала? Молодой человек вот разволновался, — Леночка неожиданно улыбнулась Игорю. — И мы вслед ему.

— У Маши могла сесть батарейка в телефоне, — ответил детектив. — Давайте спокойно подождем, я уверен, что девочка скоро объявится... Никто не против, если мы с Игорем пробудем здесь еще некоторое время?

Лена и Наташа заверили, что это будет даже лучше — в присутствии мужчин они чувствуют себя спокойнее. Горничная Дина сообщила, что сейчас приготовит для них комнаты, а повариха Люба тут же пригласила их на кухню: «Голодные небось с дороги, а?»

Но Алексей попросил лишь сделать им тарелку бутербродов, чай и отнести все в его комнату, куда они с Игорем направились незамедлительно.

— Ты обещал мне рассказать о вашем вчерашнем разговоре с Копыловым, — начал Игорь, едва они оказались наедине. — По тебе было видно, что ты узнал нечто важное...

— Потом.

— Ты и вчера так сказал, только это «потом» до сих пор не наступило!

— Сначала я дочитаю Машин список.

— Ты считаешь, что кто-то из тех, кому она позвонила, мог...

— Помолчи, прошу. Дай мне сосредоточиться.

Стукнули в дверь — явилась Дина, разложила скатерку на письменном столе, расставила чашки, электрический чайник с кипятком, сахарницу и коробочку с разными пакетиками чая. За ней появилась Люба, да не с тарелкой, а с целым блюдом, на котором высилась гора бутербродов.

— Допьете, кликните меня, я вам хоть белье постелю, — произнесла горничная, выходя из комнаты.

— Угу, — пробормотал Кис, читая.

Игорь сидел без дела с видом обиженным и расстроенным, потом разлил кипяток в чашки с пакетиками и принялся есть бутерброд.

— Руки помыл? — спроси Кис, не отрываясь от листка.

— Конечно.

— Ладно, мой черед, — поднялся он через пару минут. — А твоя очередь читать список, — и он протянул Игорю страницы, исписанные Машиным детским почерком.

— Я не понял, ты считаешь, что человек, который послал к Маше убийцу, упомянут в этом списке? — проговорил Игорь, едва Кис вернулся в комнату. — Но из-за чего? Маша только хотела узнать, не обронил ли отец какую-то фразу, которая могла бы объяснить его озабоченность в последнее время! И потом, в списке по большей части домашние: члены семьи и персонал — ну не думаешь же ты, что кто-то из них покушался на Машину жизнь? Главное, куда она делась? Ее похитили? Убили? Что тут вообще происходит?! Где она?!

— Тш-ш-ш, спокойней, Игорь, спокойней. Давай рассудим вместе. Машино детство — она мне довольно много рассказывала о нем — было безоблачным, несмотря на смерть матери. Она росла любимой, обеспеченной, защищенной; с отцом у нее сложились отношения нежные, доверительные, уважительные. Зло мира оставалось за забором их усадьбы — Маша о нем слышала, но никогда не видела подле себя. Она и сама понимает, что счастливое детство не подготовило ее ко взрослой жизни...

— Кис, ты вообще о чем?

— О том, как сильно она испугалась. В любом покушении на тебя — и даже на твое имущество, потому что оно *твое,* — скрывается в первую очередь оскорбление. Это насилие над твоими правами, над твоим неприкосновенным личным пространством, это взлом его границ. У тебя тоже было благополучное детство — по крайней мере, до ухода твоей матери[1] — ты должен понимать, о чем я говорю. Каково это, когда впервые сталкиваешься со злом.

— Да.

— Прибавь к этому обыкновенный инстинктивный страх за свою жизнь, который Маша испытала после попытки наезда мотоциклиста. У нее случился сильнейший шок. Тем более она

---

[1] Подробно об этом читайте в романе Т. Гармаш-Роффе «Ведь я еще жива».

совсем недавно пережила гибель отца, что не могло не расшатать ее нервную систему. Все это, вместе взятое, до такой степени выбило девушку из колеи, что она заперлась в машине и ни за что не хотела выходить из нее. И я уверен: так и не выходила. По этой простой причине никто не мог попытаться снова убить ее. По крайней мере, на мотоцикле. А версию, что за ней охотятся еще вертолеты, дроны и спутники, мы, думаю, все же отметем.

— А если у нее бензин кончился?

Кис взял наконец бутерброд, откусил, прожевал кусочек воздушного хлеба со свежайшей ветчиной.

— М-м-м, вкусно... Сомневаюсь, что мотоциклист решился бы переехать девушку в декорациях бензоколонки. Там развернуться негде, там не протиснуться, там огнеопасно. Но если бы что-то и случилось... Ты ведь ехал следом за Машей с небольшим отрывом. И ты бы увидел на дороге полицейские машины, «Скорую», а то и пожарников. Но ты их не видел. И я не видел, хотя ехал той же дорогой.

— А если неполадка в машине случилась? У нее даже сотовый не работает, ей пришлось бы выйти и голосовать!

— Я тебя уверяю, что даже в этой ситуации Маша высматривала бы мотоциклиста и разглядела бы его за километр. И тут же спряталась бы, конечно. А у любого другого человека, который остановился ей помочь, она бы просто попросила телефон. И позвонила если не нам с тобой, — наши номера она вряд ли помнит наизусть, а ее сотовый не работает, — то кому-то из близких.

— Выходит, она свернула с шоссе сама? Может, предпочла окольными дорогами добираться до дома? Как ты говоришь, страх ее был настолько силен, что в любом мотоциклисте она бы заподозрила убийцу и запаниковала.

— Или она решила укрыться у кого-то из своих друзей. Наверное, дом свой считает недостаточно надежным укрытием.

— Тогда почему она до сих пор никому не звонит?! У друзей-то телефон есть!

— Не знаю, Игорь. Все это лишь предположения, хотя и вполне стройные... Возможно, Маша скоро объявится, лично или по телефону. Возможно, что-то иное произошло и помешало ей связаться с нами... Чего гадать? Понимаю, у тебя появились к девушке какие-то чувства, но найти ее они не помогут. Давай думалку включать. Только дай мне пяток минут, не люблю говорить с набитым ртом. Да и сам перекуси, ты что-то совсем сник. А потом я тебе расскажу суть нашего вчерашнего разговора с Виктором Павловичем Копыловым, хоть я и обещал хранить тайну. Но теперь под угрозой жизнь Маши, и нам придется всю информацию обмозговать хорошенько — всю, целиком. Тут все взаимосвязано... Бери бутерброд, бери! Пока не поешь, не расскажу, — криво улыбнулся Алексей, дожевывая свой.

Игорь послушно потянулся к блюду. Нехотя надкусил бутерброд и... Сам не заметил, как съел три подряд.

— Ну вот, совсем другое дело, — потер руки Кис. — Ты, Игорек, теперь садись поудобнее и держись покрепче, поскольку риск свалиться со стула имеется.

Изумлению Игоря не было предела, когда он услышал о попытках отравления Президента. Он, правда, со стула не свалился — наоборот, вскочил.

— Ладно, пусть это все звучит фантастично, зато теперь я хотя бы понимаю, почему хотели устранить Донникова. А вот...

— Что, правда? — скептически отозвался Алексей.

Но Игорь не обратил внимания ни на его реплику, ни на его скепсис.

— А вот зачем пытались убить Машу, я попрежнему не понимаю! — горячился он, потрясая руками в воздухе, ну чисто итальянец. — Что бы там ни было с ее отцом — чем вчерашние Машины вопросы могли испугать убийцу? Что она такого сказала? Смотри, — Игорь взял в руки список, — тут еще один академик, кроме Копылова, Мальцев его фамилия: ничего не знает, они друзья с Донниковым, но давно уже не виделись; какой-то доктор наук Спиридонов: заметил, что Евгений Дмитриевич расстроен, и даже о причинах его спрашивал, но ничего в ответ не услышал. Ну, и сам Копылов, после звонка Маши он, собственно, и приехал... Кто тут еще? Домашние и родственники. Брат с сестрой в Лондоне: папа им регулярно звонил, но ничего такого не рассказывал, а сами они не заметили. Это нормально, Кис, — папа постарался скрыть от детей свое беспокойство, правильно? Теперь дочь его внебрачная Юля: отец звонил ей давно, и она ничего не заметила. Ее мать — та вообще не общалась с ним много лет. Так кого Маша могла испугать своими вопросами о настроении папы? Кто из этого списка, на твой взгляд, связан с кланом отравителей? Повариха и другой персонал — нет. Дети Донникова, жена, сестра, мать — нет. Копылов — нет. Остаются еще двое: профессор Спиридонов и академик Мальцев. Но они же его друзья, вхожи в дом, Машу знают с детства!

— Один из них может оказаться причастен. Вряд ли он и есть отравитель, но вполне вероятно, близко знаком с теми, кто пытался освободить президентское кресло. Тот факт, что Маша в детстве сидела у него на коленях, ничего не гарантирует. Как и его дружба с Донниковым.

— И все равно я не понимаю, как Машины вопросы могли их насторожить!

— Игорь, ну это же очевидно.

— Объясни. Мне лично вовсе не *очевидно*.

— Смотри: спустя месяц после гибели Евгения Дмитриевича его дочь вдруг начинает расспрашивать о настроении папы. Интересуется, не обронил ли он какие-то слова, которые объяснили бы его плохое настроение и озабоченность. Отсюда прямой вывод: дочь получила некую информацию, которая заставила ее засомневаться в несчастном случае. И если она продолжит копать, то... Дальше объяснять?

— Значит, эти двое? Я сию минуту сажусь за компьютер. Надо узнать о них все!

— Подожди, Игорь, это не самое срочное. Нам надо сначала кое-что обсудить. В этом деле слишком много противоречий.

— О чем ты?

Алексей поднялся, подошел к окну. Догадка, которая потихоньку, будто сама по себе, выкристаллизовывалась в его мозгу, была настолько неожиданной, невероятной, что ему захотелось еще раз пробежаться по собственным доводам, прежде чем озвучить ее.

Солнце заливало сад, лелея каждый лист, каждую травинку. Хотелось выйти туда, на воздух, но Алексей боялся, что красóты природы его отвлекут, тогда как разговор требовал большой концентрации. Внезапно он увидел священника, мелькнувшего среди яблонь. Как и в прошлый раз, он был в джинсах и простой белой футболке, что Алексею импонировало. Отец Нил торопливо шел к дому, причем явно направляясь к правой его части, где находилась задняя дверь. Чтобы выйти на площадку, где под навесом размещались автомобили Донниковых и куда Олег ставил свой мотоцикл, следовало обойти здание слева, Алексей это приметил еще в первый вечер.

— Игорь... Кажется, у нас сейчас будут новости, — произнес он, отрываясь от окна.

— Плохие или хорошие?!

— Не знаю. К нам идет Олег. И я уверен, что не просто так. Пошли вниз.

И они рванули к лестнице.

Спустившись, Кис прямиком направился к двери, ведущей во двор, и распахнул ее. Заслышав шум, из кухни выглянули встревоженные женщины: Люба, Дина, Анна Ивановна и Наташа. Учитывая, что Маша должна была вернуться домой примерно четыре часа назад, они беспокоились не на шутку.

Священник показался на пороге, поздоровался кивком.

— С Машей все в порядке! — оповестил он всех. — Она только что мне звонила. Она у друзей.

Женщины запричитали от радости; горничная с криками «Федя, Федя, Машенька нашлась!» кинулась в сторону холла, куда выходила комната охранника; а Кис с Игорем вздохнули с облегчением.

— Она просила передать вам свои извинения, — посмотрел Олег на детективов. — У нее сломался телефон, и она не могла раньше позвонить.

— А теперь позвонила вам, — полувопросительно произнес Алексей. Его несколько удивил тот факт, что Маша связалась именно со священником, тогда как родные сходят с ума, строя догадки одна страшнее другой.

— Ах да, — ответил Олег. — Маша не могла позвонить вам, поскольку ваш номер записан в ее сотовом, который больше не включается. А мой она помнит наизусть... — Кажется, отец Нил слегка смутился, и Игорь посмотрел на красавца с некоторой ревностью.

Пояснения Олега не отвечали на вопрос, отчего девушка не связалась с семьей. Чтобы избежать расспросов? Да, пожалуй, другого объяснения Кис не видел. Священнику же будет проще от них открутиться... Ну-ка, попробуем.

— Вы что-нибудь знаете об этих друзьях? Им можно доверять? Маша у них в безопасности?

— Да, да, — закивал священник, — не беспокойтесь!

— А их имена, адрес... Не скажете нам?

— Нет... Простите, я бы с радостью, но не знаю сам.

Кис чувствовал, что Олег говорит неправду. Возможно, Маша его просила ничего никому не рассказывать? Но почему? Из страха? Ей кажется, что неведомые друзья защитят ее лучше, чем детективы?

Между прочим, у Олега должен был отобразиться входящий — номер телефона, домашнего или мобильного, этих друзей, которым Маша воспользовалась. Стоит только попросить священника дать его...

Но что-то останавливало Алексея. Девушка явно не хочет выдавать свое укрытие. Наверное, потому, что адрес дома Донниковых знают все — и друзья и враги. А вот где она сейчас — не знает никто. Ни враги, ни друзья.

Кис отвел Олега в сторонку:

— Дайте мне номер, с которого Маша вам звонила. Беспокоить ее по пустякам я, естественно, не буду, только если что-то важное понадобится спросить.

Священник развел руками.

— Рад бы, да входящий номер был скрыт. Вот, смотрите сами, — и он с готовностью продемонстрировал детективу последний входящий.

Получается, Маша доверяет только Олегу? А детектив с Игорем вдруг впали в немилость?

Странно это все, странно.

Он посмотрел на священника. Под сенью угольных ресниц не разобрать выражение его глаз.

Как бы то ни было, до Маши Алексею не добраться, — придется ждать, когда она сама решит с ним связаться. Интересно, что происходит? Они с Олегом явно заодно, будто дети, у которых общий секрет...

— Люба, — повернулся Кис к поварихе, — у вас тут найдется ручка и бумага?

Женщина нырнула на кухню и через секунду вынырнула, протягивая ручку с проводком на подставке — такие можно увидеть в присутственных местах — и блокнот.

— Мы список покупок пишем, — пояснила она. — Всегда лежит возле хлебницы.

Кис бегло написал два номера, свой и Игоря, и протянул Олегу.

— Если Маша снова позвонит, продиктуйте ей наши телефоны. И скажите, что нам хотелось бы с ней поговорить.

Олег кивнул и спрятал листок в карман.

— Доброго всем вечера, — произнес он, сделав шаг в сторону холла, откуда парадный вход вел к площадке перед воротами.

— Батюшка, чаю выпейте! — Люба преградила Олегу путь, почтительно кланялась. — Или наливочки вишневой, уже настоялась!

— Благодарю. Но вынужден отказаться. Дела меня ждут, прошу извинить.

С этими словами отец Нил проследовал к парадной двери. Кис пошел за ним, якобы вежливо сопровождая, — на самом же деле он хотел увидеть своими глазами мотоцикл священника, когда тот выведет его из-под навеса.

Увидел. Так и есть, марки «БМВ», черно-желтый. Ничего общего с черно-красным орудием преступления.

Что ж, хотя бы в этом вопросе никакой двусмысленности.

Не успел Алексей вернуться, как Люба кинулась к нему.

— Еще чайку сделать? Или поужинаете? Вы

же толком не поели, что там, одни бутерброды! — переводила она глаза с Алексея на Игоря.

Ну конечно, ветчина с хлебом не еда, кто бы сомневался.

— А у меня жаркое из кролика с картошечкой и шампиньонами! — соблазняла их повариха.

Остальные стояли тут же, рядом, в коридоре, и смотрели на детективов почти просительно, даже охранник Федор. Видимо, всем хотелось отметить хорошую весть сообща.

— Ладно, — согласился Алексей, — от чайку я бы не отказался. Игорь, ты тоже? — он подмигнул ассистенту.

— Ой, а Лену-то не позвали! Она даже не знает, что Машка нашлась! — пробасила тетя Наташа. — Дин, сгоняй к ней, пусть сюда идет.

Войдя в кухню, Алексей в очередной раз поразился простой красоте сельской жизни. На рабочих столах (они практически опоясывали стены кухни, прерываясь лишь на необъятную мойку, электрическую плиту и громаду холодильника) красовались вазы и блюда с яркими овощами. Изумрудные огурцы, алые помидоры, розовый редис, желтая репка, разноцветные перцы, пучки зелени, бледные кабачки и чернильные баклажаны, матово-белая горка шампиньонов — хоть на выставку отправляй.

— Это все наш Васильич, — перехватила его взгляд Люба. — Золотые руки у человека, а лучше сказать — волшебные! У него все растет, все плодоносит. У других, знаете, то засуха, то ранние заморозки, то тля или что там еще, вредители всякие, вот урожай и попорчен, а у нас, сколько я здеся, — лет пятнадцать, да, Дин? — у нас всегда, в любое лето такие вот пузатики! — С этими словами она торжественно подняла баклажан, сиявший сытым фиолетовым боком. — А грибочечки какие, вы только гляньте, отборные!

Люба сунула один шампиньон под нос детективу, ногтем мизинца поддела белую пленку, прикрывавшую шляпку снизу, и обнажила кремово-розовые, нежные пластинки. Алексею тут же нестерпимо захотелось жаркого с грибами, несмотря на горку приконченных ранее бутербродов.

Явилась Лена, вяло изобразив радость в связи с тем, что Маша оказалась жива и здорова. Но Кис не стал над этим зависать: Лена была вялой «по жизни», как он успел заметить. Все уселись вокруг огромного стола, и Люба с Диной принялись накладывать, наливать, угощать. Детективы согласились лишь на дегустацию и, отведав жаркое и осыпав повариху комплиментами, перешли сразу к чаю.

За столом стало шумно и весело, упомянутая вишневая наливка расцветила всем губы и разрумянила щеки. Алексей хотел уж было незаметно улизнуть, но разговор вдруг зашел о вчерашних Машиных расспросах. Завела его Наташа, Машина тетя.

— Представьте, Машунька ко мне вчера прикатила с вопросами про папу. Не был ли расстроен, не говорил ли чего необычного. Мой брат таки был расстроен в последнее время, хотя не представляю, отчего. Он никогда не делился со мной своими заботами... Я Маше так и сказала. Но меня удивило, что племяшка вдруг заинтересовалась. А когда я ее спросила, она сослалась на вас, Константин Алексеевич.

Кис уже почти забыл, что это его местный псевдоним, и чуть запоздало встрепенулся.

— В каком смысле *сослалась*? — Он постарался, чтобы его непонимание казалось искренним.

— По ее словам, это вы задавали такие вопросы. И заставили ее тоже задуматься.

— А-а-а... да, верно. Я удивился, что Женя попал в такое жуткое ДТП. Он ведь с юности отлично водил машину. Я подумал, что он, возможно, слишком сильно погрузился в мысли за рулем... Это объяснило бы ДТП. Вот я и спросил у Маши, не был ли папа чем-то расстроен.

— Между прочим, Маша и у меня спрашивала! — заявила Люба почти с гордостью.

— И у меня, — поддакнула Дина.

— И у меня, — сморщила лобик Леночка.

— И у меня... — удивленно проговорила Анна Ивановна.

Охранник посмотрел на детектива и едва заметно, уголками губ, улыбнулся. Будто хотел сказать: «Женщины, что с них взять».

— А еще я слышала, как Машенька задавала этот вопрос по телефону, — добавила Анна Ивановна. — Только не знаю, с кем она говорила. Дверь в ее апартаменты была открыта, голос я слышала, но слов не разобрала.

— Я знаю! — возбужденно воскликнула Дина. — Я в это время у нее убирала, а Маша в ванной косички заплетала, телефон включила на громкую связь и положила на край раковины. Она с Юлей говорила, со своей единокровной сестрой.

— С Юлей? — подняла бровки Леночка. — Женя с ней практически не виделся! Зачем Маша ей звонила?

— Да с теми же вопросами. А Юля в ответ: «Почему ты у меня спрашиваешь? Я с твоим папой редко общалась». С *твоим*, вы слышали! Как будто ей самой он не отец!

— И что Маша? — заинтересовался детектив.

— Она ей... Погодите, что она сказала-то... — Дина задумалась на некоторое время. — А, вот, Маша ей говорит: «Мало ли, вдруг папа тебе звонил, чтобы посоветоваться насчет финансов».

— Потому что Юля в этой области работает, в финансовой, — пояснила Леночка. — Как и ее мать.

— Погодите, мне рассказывали, что мать Юли была студенткой Жени в его аспирантские годы, — удивился Кис. — То есть училась на медика.

— Не доучилась она, — произнесла Анна Ивановна. — Отчислили ее или сама ушла, не знаю. Но после рождения дочки она в мединститут не вернулась. Выучилась на бухгалтера и с тех пор в этой сфере работает. И дочку свою чужие деньги считать направила. Вы Елизавету Николаевну спросите, она про Юлю точно знает. Внучка ей все-таки.

— Не стоит Машину бабушку тревожить, — возразил Алексей. — Это несущественно.

— Зря Маша Юле звонила, Женя не стал бы с ней советоваться, — сообщила Леночка.

— Почему?

— Не те у них были отношения, — пожала она плечами.

— А Юля достаточно квалифицированна,

чтобы давать советы? И о чем, собственно? Куда лучше вложить деньги? Как избежать налогообложения?

— У-у-у, я в этом не разбираюсь! — как-то по-детски протянула Лена.

— А что Юля ответила Маше, вы слышали? — посмотрел на Дину детектив.

— Да вот то и ответила: не звонил, мол, в последнее время и ничего такого она не заметила...

Глава 10

ТОНКОСТИ ВЫРАЩИВАНИЯ ШАМПИНЬОНОВ

Послушав еще некоторое время разговоры за столом, Кис решил, что ничего интересного он тут больше не выловит. Тем более Игорь уже несколько раз незаметно дергал его за рукав: ему не терпелось услышать продолжение, надо полагать.

Они сумели ускользнуть из кухни под благовидным предлогом и вернулись в комнату Алексея.

— Ты остановился на самом интересном месте, что-то насчет *противоречий,* — напомнил Игорь.

— Мы вот как сделаем: попробуй пересказать события — ты теперь знаешь все то же самое, что и я, — в хронологическом порядке. Начиная от открытия академика и кончая его гибелью. Представь, что это сюжет романа, который ты сочинил, и сейчас рассказываешь его другу, которому отводишь роль критика. Можешь даже текст напечатать, если хочешь. Делай, как тебе удобнее. А я пока схожу в кабинет Донникова, хочу еще разок заглянуть в его компьютер.

— Там же ничего интересного нет, ты сам сказал.

— Ну, кое-какие следы остались... Пробегусь по ним. А ты пока поработай над изложением сюжета. Я вернусь минут через двадцать, расскажешь мне.

— Зачем это, Кис?

— Для ясности картины. Думаю, ты сам поймешь, когда она выстроится у тебя перед глазами целиком.

В домашнем компьютере академика почти никакой информации не содержалось — детектив в этом убедился снова. В рабочем, возможно, куда больше — да только доступа к нему у Алексея не имелось и не предвиделось. Планшетом Евгений Дмитриевич не пользовался, по словам Маши, а смартфон его погиб в огне вместе с хозяином... Тем не менее слова горничной Дины, слышавшей, как Маша спросила Юлю о финансовых консультациях, заинтересовали детектива. Возможно, Маша использовала это лишь в качестве предлога для разговора со своей единокровной сестрой — но как знать, вдруг ее вопрос не случаен? Не исключено, что финансовая тема возникала в беседах с ее отцом... Теперь девочку не достать и вопрос ей не задать — всего-то и остается попробовать отследить заходы Донникова в Интернет. По ним, если повезет, удастся понять, интересовался он налоговыми вопросами или, наоборот, искал, куда вложить суммы — наверняка не маленькие! — которые зарабатывал в своем Заповеднике... Или же, мало ли, вдруг у него кто-то вымогал деньги?

По правде сказать, Кис не знал, что искать. Он действовал наугад. Отметя причины, лежавшие на поверхности, он пытался обнаружить скрытые...

«Методом тыка» — единственным, имевшимся сейчас в его распоряжении, — эффективность которого известна.

Поскольку ни почты, ни скайпа или иных программ для общения в компьютере академика не имелось, то Алексей заново пересматривал «историю» выходов академика в Интернет. Но видел только поиски, связанные либо с общими новостями, либо с медициной. Общения в социальных сетях Интернет не зафиксировал, равно как и выходов на сайты, где можно было бы получить финансово-юридические консультации. Даже в личный кабинет своего банка — это был известный «ТТТ»[1] — академик заходил аж семь месяцев назад. Не оказалось никаких «левых» прогулок по порнушкам, не интересовался Евгений Дмитриевич услугами проституток или сайтами знакомств, — одним словом, ничего, что могло бы дать пищу воображению детектива.

Он вернулся в свою комнату, где застал Игоря, сосредоточенно глядевшего в экран планшета-трансформера.

— Ну как? — поинтересовался Кис успехами ассистента.

— Минуточку...

Игорь печатал еще некоторое время, затем отсоединил клавиатуру от планшета. После чего еще пару минут читал написанное. Алексей в ожидании растянулся на кровати, заложив руки за голову.

— М-да... — произнес Игорь, глядя на экран, — романец у меня получился никуда не

---

[1] Название придумано автором. Все совпадения случайны.

годный, надо признать. Если бы мне и впрямь пришлось прочитать этот сюжет другу, я бы со стыда сгорел.

— Чего и следовало ожидать, — кивнул Кис. — А теперь объясни, почему.

— А то ты не знаешь.

— Знаю. Но хочу услышать, что понял ты, — невозмутимо ответил детектив.

— Ну ладно... Итак, **Часть первая**: *«Доктор и Президент»*. Совершенно случайно, занимаясь доскональным обследованием своего пациента, — что не удивительно, так как доскональность является основополагающим принципом концепции академика, — Евгений Дмитриевич устанавливает, что в крови этого пациента присутствует некий токсин. Смертельно опасный, но в небольшой дозе. По каким-то признакам академик делает вывод, что токсин поступает в организм обследуемого постоянно. Поскольку ежедневная доза мала, он еще не убил пациента, но, накапливаясь в организме, весьма скоро убьет. Случайность исключена, вывод один: кто-то планомерно травит этого человека. Который оказался ни много ни мало Президентом. Казалось бы, эта история, едва начавшись, уже подходит к счастливому концу: сейчас добрый доктор спасет Президента, установив природу токсина и найдя противоядие (или что там в таких случаях назначают). Однако его пациент не желает, чтобы добрый доктор продолжал заниматься данным токсичным вопросом. Впрочем, доктор, похоже, все-таки успел выписать нужные настойки и припарки, чтобы очистить организм пациента. А вот очищать территорию от отравителя поручено совсем другим людям. Доброго же доктора Донникова полностью отстраняют от дела, отлучают от тела и берут с него клятву о неразглашении.

— Хорошо излагаешь, одобрямс. Давай дальше.

— Теперь примечания. Первое: вышеизложенная информация получена от академика Копылова, который является другом академика Донникова. Несмотря на клятву, Евгений Дмитриевич все же рассказал ему эту историю. И похоже, еще Алану Бицаеву. Понять, почему Донников проговорился, легко: ведь на него самого вскоре стали покушаться. Ему нужно было с кем-то поделиться, посоветоваться... А вот примечание второе: если мы верим Копылову и принимаем за факт попытку отравить Президента — то автоматически делаем вывод, что это был кто-то из близких ему, из «своих».

— Да, покушался «визирь». Тот, кто стоит ближе всех к трону падишаха. И сможет быстро занять трон, как только сумеет освободить сиденьеце.

— Вот-вот, — кивнул Игорь. — Значит, пусть это убийцы и вообще гниды последние, но они гниды высокостоящие. В их распоряжении не меньшие средства, чем у главы государства. Они могут найти, нанять и оплатить лучших из лучших. Лучших поваров, парикмахеров, массажистов, тренеров, горничных, киллеров... И еще много кого.

— Мне нравится ход твоей мысли, — одобрил детектив.

— Мне тоже. Еще мне понравилась твоя идея представить все, что нам известно, в виде сюжета романа. Помогает увидеть со стороны.

— Ага. Это и есть цель. Продолжай.

— Итак, Донникова отстраняют. Все бы ничего — доктор вовсе не стремился попасть в круговорот политических интриг и своему отстранению даже обрадовался, — да только на него вдруг начинают покушаться. На этом первая часть заканчивается. Кстати, мой критик воспринял ее вполне благосклонно. Он отметил, что материал сыроват, много неясностей и неточностей — что за токсин, как он действует, каким путем мог попасть в организм, — но в целом начало хорошее. Потянет, пожалуй, на политический триллер, счел мой критик.

— Я с ним согласен, — улыбнулся детектив.

— Тогда **Вторая часть**: *«Мотоцикл и кувалды»*. В ней на академика начинают покушаться. Вроде бы логика в этом есть: как объяснил Копылов, Евгений Дмитриевич мог представлять опасность для отравителя, несмотря на то что его отстранили от дальнейших изысканий. Все-таки Донников первый обнаружил токсин, он установил его природу и мог — при определенных обстоятельствах, если бы дело дошло до суда, — оказаться опасным свидетелем. В этом месте мое чувство прекрасного, — усмехнулся Игорь, — еще не смущено, как автору романа мне еще не стыдно. Однако весьма скоро я начинаю краснеть. Первая попытка наезда не удалась. Вторая — не удалась. Попытка столкнуть с лестницы — не удалась. Затем приключения вокруг Лидии, любовницы академика, где снова является мотоциклист, на этот раз с угрозами, а затем на сцену выступает бомжеватый тщедушный мужичок с большими кулаками. Который, однако, тоже оказался не на высоте. Академик, конечно, был мужчиной нетренированным, сопротивляться даже не начинал и так бы под его ударами и погиб, — но на помощь явился шофер Борис и одним ударом вмазал этого Сталлоне в стенку. При том что Борис никакими видами борьбы не занимается и ничем мужичка не превосходит, разве только ростом.

Мой критик, слушая эту часть, неодобрительно качал головой, а дослушав, заявил следующее: «Как ты ухитрился, начав за здравие...» нет, он по-другому сказал: как ты ухитрился, начав с весьма неплохого наброска для политического триллера, скатиться в жанр «иронического детектива»? Жанра, в котором все как бы не всерьез, отчего убийцы могут позволить себе выглядеть комично, как клоуны в цирке?

— Че, так и сказал? — хмыкнул Алексей.

— Ага, — кивнул Игорь.

— Я солидарен с твоим критиком.

— Мне продолжать? — спросил Игорь. — Или ты уже убедился...

— Продолжай. Я уже убедился, но все же хочу услышать сюжетец до конца.

— Ладно. Итак, случилась эра абсолютных дилетантов. Которым не удалось убить академика, несмотря на четыре — аж четыре!!! — покушения. Но это нам легко рассуждать, когда мы смотрим на «*сюжетец*» со стороны. А Донников всерьез насторожился, испугался и счел за лучшее уехать подальше от убийц. Укрыться он решил у своего давнего подопечного, преданного ученика Алана Бицаева. Да только именно там его настиг убийца... Но уже другой, и отнюдь не комик. Как мы с тобой рассудили, на этот раз действовал крутой профессионал, настоящий каскадер, сумевший отправить машину академика в пропасть.

— И как воспринял твой «критик» новый сюжетный поворот?

— Плохо. Сказал, что я не владею логикой. И что либо высокостоящие люди наняли грамотного киллера с самого начала — и тогда бы он не промахнулся, либо мотоциклиста отправили не они. У этого недотепы и у «каскадера» не может быть один и тот же заказчик. Тот, кто привык снимать номер в пятизвездочном отеле, не станет рассматривать варианты в двух-трехзвездочных гостиницах.

— Полностью согласен.

— Значит, в этом деле мы столкнулись с двумя разными заказчиками?

— Нет.

— Кис, ты же только что убеждал меня...

— Не убеждал. Я согласился лишь с тем, что люди, покушавшиеся на Президента, не могли нанять дилетантов.

— Но кто-то же их нанял!

— Да. Другой человек. Не имеющий ничего общего с играми наверху.

— То есть... Это что же, случайное совпадение? Два разных заказчика практически одновременно желают уничтожить академика? И каждый посылает своего наемника?

— Ты в подобные совпадения веришь?

— Ну, надо сказать, что на самом деле они случаются, совпадения...

— Случаются, согласен. Но редко. Так редко, что эту гипотезу можно не брать в расчет до доказательства обратного.

— И что тогда?

— Пораскинь мозгами сам.

— Не знаю, шеф... Я что-то потерял нить. Все тут как-то странно, зыбко и неочевидно...

— Сейчас все станет очевидно. Скажи, какая информация у нас точная? Не наши (или чужие) догадки, а факты, у которых наличествуют свидетели?

— О покушениях мотоциклиста.

— Верно. Тогда как «каскадера» мы вычислили сами, не имея ни одного надежного, прямого факта. Мы его логически построили, как голограмму в воздухе. И для этой голограммы мы использовали косвенный факт, что Донников был отличным водителем. Использовали непроверенный факт, вроде утверждения в голубином письме, что академика убили. И еще за факт приняли идею о реальной возможности столкнуть Евгения Дмитриевича в пропасть. К этой идее мы пришли, изучая по карте дорогу и окрестности. Мы убедились, что там есть место где спрятаться и есть где развернуться, — в общем, пространство для маневра. Но если такая возможность была, разве это означает, что ею кто-то воспользовался? Если ты, скажем, можешь успеть... — Алексей посмотрел на часы, — на девятичасовой поезд в Петербург, из этого еще не следует, что ты туда поедешь, не так ли?

— Ты хочешь сказать, что никакого убийцы в Адыгее не было?!

— Полагаю, что нет.

— И академик навернулся в пропасть сам?!

— Вряд ли. Он ведь отлично водил. И не пил. И дорогу хорошо знал.

— Кис, ты меня совсем запутал. Сначала говоришь, что академика не убили, потом говоришь, что он сам тоже не убился. А что же тог... — Игорь вдруг умолк, будто подавился словом. — Ки-и-ис... — осторожно проговорил он через несколько секунд, — Кис, ты же не хочешь сказать, что он...

— Хочу.

— Жив?! Его же похоронили!

— А если не его?

— ...Евгений Дмитриевич был уверен, что за ним охотятся враги президента. Уж если мы, детективы, — рассуждал вслух Алексей Кисанов, — купились поначалу на эту версию, то обычному человеку иначе рассудить никак было нельзя. Покушения на академика совпали по времени с его открытием о покушении на президента, и казалось, одно непременно вытекает из другого. Посему Донников решил сделать вид, что вышел из игры сам: погиб в автокатастрофе.

Алан Бицаев, преданный ученик, несомненно принял участие в этой инсценировке. Во-первых, он пожертвовал в качестве реквизита свою машину. Хотя, подозреваю, у обоих денег хватит на много-много таких машин, но все же это серьезное вложение. Во-вторых, оба они как медики отлично знали, сколько времени должен гореть труп, чтобы ДНК из тканей нельзя было выделить. И точно рассчитали это время.

— Так кого же они сожгли в машине?! — ужаснулся Игорь. — Если в ней был не Донников!

— Невостребованный труп из городского морга, без сомнения. Бицаев в своих краях большой человек, медицинское светило. И у него, конечно же, есть доступ в городские морги. Вернее, доступ у него куда угодно, но в больничном морге не водится неопознанных трупов, поскольку в них превращаются пациенты оной больницы, на которых заведены карты...

Кис собирался сострить и уже улыбался во весь рот, вспоминая шуточки патологоанатомов, с которыми ему некоторое время назад пришлось пообщаться[1], — но вдруг счел, что на эту тему шутить неуместно, и стер улыбку с лица.

— ...Зато в городской морг, — продолжил он, — свозят бомжей, жертв ДТП и уличных драк, и не у всех находятся родственники. Короче, Донников с Бицаевым все придумали и осуществили вместе. Из всего, сказанного мне Аланом, правдой было лишь одно: эта горная дорога ведет исключительно в поселок, и машины по ней проезжают редко. Что позволило им спокойно исполнить задуманное.

— Бедная Маша, — проговорил Игорь. — Она исстрадалась, думая, что отец погиб. А он... Как он мог так со своей дочерью поступить?! Или... Или она все знала и тоже ваньку валяла перед нами?! — Голос Игоря взметнулся вверх.

— Не похоже, — ответил Алексей. — Я ей поверил. Кроме того, Донникову для успеха операции наверняка требовалось, чтобы горе близких выглядело неподдельным.

— Вот сволочь.

— Не уверен. Думаю, Маша, дай ей выбор, предпочла бы вечно обижаться на отца за жестокий розыгрыш, чем оплакивать его всю жизнь. Евгений Дмитриевич, напоминаю, был убежден, что на него охотятся охотники высшего разряда.

---

[1] Подробно об этом читайте в романе Т. Гармаш-Роффе «Силы небесные, силы земные».

Их промахи не вызвали у него сомнений — скорее, академик вообще не воспринимал их неудачи как промашки, — он относил их за счет собственного везения... Но вечно везти не может, а возможности *этих людей* безграничны — так думал он. И решил сохранить свою жизнь — не только для себя, но и для той же Маши — путем инсценировки своей гибели.

— Значит, голубиное письмо — вранье? Или тот, кто его написал, поверил в смерть академика?

— Подозреваю, что написал его сам Донников. Он не сможет вернуться, пока тот, кто жаждет его смерти, чувствует себя безнаказанным. Поэтому Евгений Дмитриевич попросил дочь нанять детектива.

— Почему не Олега, к примеру? Маша ребенок еще, как он мог взвалить такой груз на нее, не понимаю!

— Тут все непросто, Игорь. Знаешь, если уж решаться на такой радикальный ход, как инсценировка собственной смерти, то и в деталях промашки быть не должно. Маша имела право как дочь сомневаться, вопрошать и искать ответы. А священник с какой стати? Он тут сбоку припека. Так что Донников правильно сделал, поручив нанять детектива дочери. Если поиски убийцы увенчаются успехом, то академик сможет вернуться, возродившись из пепла, как феникс, и публично указать пальцем на того, кто жаждет его смерти. В политических играх подобный ход нередко помогает. Особенно в тех случаях, когда полиция и суд бессильны.

— И как он собирается возродиться? — хмыкнул Игорь. — Если у него уже место на Ваганьковском? Явиться однажды и заявить: здрасти, я пошутил?

— Не знаю, Игорь. Надеюсь — хотя бы ради Маши, — что у Евгения Дмитриевича имеется идея получше...

— А Маша-то где? У тебя на этот счет тоже есть догадка, а, Кис?

Алексей кивнул.

— Ну же? Говори!

— Догадка — это лишь догадка. Ее надо проверить.

— Как?

— Эмпирическим путем.

— Не понимаю.

— Тебе неизвестно значение слова «эмпирический»? — съехидничал Кис.

— Перестань издеваться. Объясни, как ты будешь проверять свою догадку эмпири... опытным путем?!

— Так и буду. Опытным путем. Пошли.

Алексей поднялся с кровати и направился к выходу из комнаты. Игорь поспешил за ним.

Они спустились по лестнице в холл, затем вышли через парадную дверь на передний двор. Алексей махнул ассистенту, указывая в сторону навеса, под которым прятались машины.

Они сели в джип Алексея и выехали из поместья. Оказавшись по ту сторону ворот, детектив повернул направо, обогнул владения Донниковых и медленно поехал по скошенной траве. Вдоль ограды деревья были вырублены метра на три в ширину — видимо, чтобы исключить возможность для посторонних перепрыгнуть с какой-нибудь елки непосредственно на участок.

Было еще светло, но лес заслонял горизонт с

заходящим солнцем, и здесь, на зеленой кромке, уже царили сумерки. Алексей включил фары.

— Что ты ищешь?

— Помнишь, где там лаз в изгороди?

— Да, вроде бы... Где-то ближе к задней границе участка. Но вряд ли мы найдем его при таком освещении, только если с фонарем... А зачем нам?

— А нам и не надо. По крайней мере, пока.

Джип добрался до конца боковой изгороди. Дальше деревья росли гуще, и джип пробраться между ними не смог бы. Кис выскочил из машины.

— Неужели я ошибся? — пробормотал он, осматриваясь. — Тогда все насмарку, все мои теории...

— Ты о чем? — Игорь тоже выбрался из джипа и присоединился к шефу, оглядывая влажную стену елок и берез, росших перед ними.

— Но ведь у Маши «Мини», верно?

— «Мини-Купер», да, — кивнул Игорь. — Ты хочешь сказать, что ее машина...

— Он бы тут протиснулся, — указал Кис на деревья впереди. — Как думаешь?

— Возможно... Только почему ты...

— Пошли! — скомандовал Кис и рванул вперед.

Он резво обогнул угол ограды поместья, и Игорь потерял его из виду.

Но ненадолго.

— Иди сюда! — услышал он голос шефа. — Сюда, Игорь, я его нашел!

Завернув за угол, Игорь сразу увидел «Мини-Купер». Он стоял, притулившись возле задней ограды, не заметный ни с дороги, ни от ворот, ни даже если углубиться в лес вдоль забора.

— И что это значит? — изумился Игорь, заглядывая внутрь через стекло. Меркнущего света еще хватало, чтобы разглядеть пустой салон.

— Что я прав, — хмыкнул детектив.

— Рад за тебя. И в чем ты прав?

— Маша здесь. Как я и думал.

— Черт, да где же? — Игорь снова всмотрелся в салон автомобиля и снова констатировал: пусто.

— А ты вспомни, что видел на кухне.

— На кухне???

— Ну да. Когда мы туда пришли после разговора с отцом Нилом. Люба нас еще кроликом пыталась накормить.

— Кис, а нельзя как-нибудь сразу к делу?

— Никак нельзя. Надо, чтобы ты сам додумался. Давай вспоминай!

— Ну, там были блюда с овощами. Еще тарелки, приборы, кастрюля огромная, в которой Люба потушила жаркое из кролика...

— Вернись к блюдам с овощами. К слову, они все с огорода Васильича, не из магазина.

— Я знаю... А это что-то меняет?

— Очень даже. Так перечисли.

— Хм... Помидоры. Баклажаны. Шампиньоны. Огурцы. Редиска... — Игорь прикрыл глаза, восстанавливая картинку в памяти, — репка... зелень...

— Ладно, не мучайся. Ты все равно уже проскочил мимо самого главного.

— В овощах было «главное»? — Игорь в недоумении приподнял плечи. — И где?

— В шампиньонах, балда! Шам-пинь-о-нах!

— А чего в них такого?

— Ты не знаешь, как их выращивают?!

— Нет. Не интересовался. На грядках, наверное. А что?

— Да то, друг мой, что выращивают их ПОД ЗЕМЛЕЙ! Правда, бывает и в теплицах, но мы с тобой здешние видели, там растут исключительно овощи.

— И нам с того что?

— Нет, сегодня ты отличаешься редкой тупостью, парниша. Если *под землей* — значит, тут есть *подземелье*!

У Игоря разом скопилось столько новых вопросов, что он не знал, с которого начать. Точнее, каким продолжить. Но он решил промолчать и обдумать все сам. На шефа он, конечно, никогда не обижался, но все-таки слова о «редкой тупости» его задели.

Подземелье... Кис почему-то думает, что Маша прячется там. Между грядками с шампиньонами, что ли? Как выглядят подземные огороды, интересно?

Он включил смартфон, проверил, ловит ли wi-fi, и завел в поиск слова: «выращивание шампиньонов», затем нажал на строку «картинки». На выпавших изображениях подземные помещения были просторными, но все пространство занимали грядки с узкими проходами между ними. Тут, у Донниковых, подземелье должно быть совсем маленьким — сколько же грибов может съесть одна семья, к тому же употребляя их не каждый день! — но схема-то одна, грядки да проходы... Что Маше там делать? Зачем ей там прятаться?

Кис заглянул через плечо Игоря, полюбопытствовал, что там рассматривает ассистент.

— Маша мне рассказывала, как *четыре черненьких чумазеньких чертенка...* Она была маленькая и картавила, отчего ее учили произносить скороговорки. И она назвала так людей трудившихся на участке. Стояла осень, рабочие были в грязи... — Алексей засмеялся, представив себе зрелище.

— И они *чертили черными чернилами чертеж?* — хмыкнул Игорь. И подумал, что Маша и сейчас маленькая. Во всех смыслах.

Внезапно чувство нежности затопило его с такой силой, что он с трудом перевел дух. Может, у него к Маше отцовские чувства? Ему пора заводить детей, вот и трогает его до слез малышка с косичками?..

— Не совсем. Чертеж наверняка был, начертил его по заказу Евгения Дмитриевича архитектор, а работяги по нему копали. Сначала рыли траншеи вдоль забора, в которые сажали кусты; потом закладывали фундаменты для всего того, что строилось на участке. Избушки, домишки, оранжерея... Тогда же, думаю, было сооружено подземелье. Не для выращивания шампиньонов, нет. Это были девяностые годы, бандиты брали дома силой, если им того хотелось. А Донников строил *богатый* дом. Скорее всего, потому и место выбрал такое глухое — подальше от жадных глаз. Так что закладывал он, думается мне, *убежище.* На случай нападения. Не удивлюсь, если в него есть ход из дома... Может, и от других построек на участке. И еще какой-нибудь потайной коридор ведет в лес...

Алексей вспомнил одно дело, в котором столкнулся с хитроумно построенным подземным ходом, ведшим в лесную чащу с болотами... В них чуть не утонул молодой опер — насилу вытащили![1]

— Потом все успокоилось, какой-то порядок восстановился, и академик вспомнил про свои подземные пространства. А может, и сам Васильич сказал: мол, я бы еще и грибочки вам вырастил, но надо сделать подземный огород. А Донников ему: есть, мол, для этого подходящий зальчик.

— И, по-твоему, там академик и прячется? Уже месяц сидит между грядок с грибами?

— Вряд ли подземелье ограничивается одним помещением. Думаю, Васильич и не догадывается, что за стенкой его огорода есть еще комнаты. Если академик строил убежище, то предусмотрел и спальные места, и ванные с туалетами... Это только предположение, конечно, — развел руками Алексей, — но раз Машин «Мини» здесь, значит, она, перепугавшись, ринулась к...

— Как он нас провел, этот поп! Он с самого начала знал, да?

— Думаю, Донников только на него смог положиться. И только ему мог поручить присматривать за дочерью. Как бы Маша с ним ни пикировалась, она Олегу доверяла. Да и на кого еще в этом доме можно рассчитывать?

— Выходит, она приехала сюда, домой, но первым делом, пробравшись через лаз, кинулась к священнику... — рассудил Игорь. — А тот, узнав о покушении на Машу, как-то незаметно посоветовался с академиком, — он ведь тут рядом, в паре метров под огородом. Донников испугался

[1] Подробно об этом читайте в романе Т. Гармаш-Роффе «Вторая путеводная звезда».

за дочку и решил спрятать ее в своем убежище... Значит, она уже знает, что отец жив!

— Я тоже думаю, что сейчас они вместе, — кивнул Алексей. — То-то девочке радость.

В этот момент у него зазвонил мобильник. Взглянув на дисплей, он произнес:

— Ага, вот и Маша. Легка на помине.

— Машенька, девочка, как ты? — Алексей нажал на кнопку громкой связи. — Мы с Игорем беспокоились.

— Ничего, теперь уже нормально... Алексей Андреевич, извините меня, пожалуйста! И скажите Игорю, ему я тоже приношу свои извинения... Он с вами?

Кис посмотрел на молодого человека вопросительно: мол, что ответить? Игорь кивнул.

— Да, рядом.

— Он меня слышит?

— В принципе, да, но если ты хочешь поговорить лично со мной...

Игорь бросил на шефа гневный взгляд. Еще чего, почему это Маша должна говорить лично с ним, а не с обоими?!

— Нет, наоборот... Игорь, слышишь, не сердись на меня, пожалуйста... Я очень сильно испугалась. Я решила спрятаться. Не потому, что я не доверяю вам, совсем нет, но этот человек на мотоцикле меня выследил... И я побоялась вернуться домой. Я поехала туда, где меня никто не найдет!

— Все нормально, Машенька, мы понимаем, — заговорил Алексей.

Но Игорь вдруг выхватил из его ладони смартфон.

— Мы знаем, где ты, — сообщил он в трубку.

— Что ты хочешь этим сказать? — растерялась Маша.

— Игорь, отдай мне телефон, — зашипел Кис, — и заткнись!

— Мы стоим возле твоего «Мини-Купера».

— Как вы его нашли?!

Алексей вырвал трубку у своего ассистента, при этом покрутил пальцем у виска. Значение данного жеста растолковывать не требовалось.

— Машенька, мы ведь детективы, — промурлыкал Кис, бросая гневные взгляды на своего помощника.

— И вы вправду знаете, где я? — с ужасом спросила девушка, а детектив бросил еще один испепеляющий взор на Игоря.

— Она думала, что хорошо спряталась, а теперь, — прошипел он, — решит, что раз мы ее нашли, то и убийца найдет! Не хватало только, чтоб она еще куда-нибудь сбежала!

— Послушай меня, Машенька... Я уверен, что ты отлично законспирировалась, и никто не догадается, что ты здесь...

— Где это — «здесь»?!

— Ну там, где ты находишься... — попробовал исправить промашку Кис.

— Да здесь, у нас под ногами! — прокричал в трубку Игорь. Он явно был зол на Машу, хотя Алексей не совсем понимал, почему. Ну, соврала девчушка, так она ведь из страха.

— Как вы могли узнать... Не может быть, нет! Вы шутите, да?

— Слушай, Маша, хватит паниковать, а? — не выдержал Кис. — Ты уже взрослый человек, пора соображать. Я, мы с Игорем работаем на тебя и на твоего папу. И если я говорю, что вы отлично спрятались, — значит, так и есть.

— Мы?!

— Вы.

— Мы... с папой?.. — пролепетала вконец растерявшаяся девушка.

А детектив рассердился теперь на себя. Ну вот какого черта сболтнул, а? Хотел Машу успокоить, а вышло все как-то наперекосяк. С другой стороны, раз уж Игорь начал, теперь стоило идти до конца, чтобы убедиться в правильности своей гипотезы.

— Откуда вы узнали? Как?!

— Маша, Машенька. Ты обратилась к частному сыщику. *Сыщику*, слышишь? Это нормально, что я догадался. Иначе я был бы плохим детективом. Но из этого не следует, что догадаются другие! Вас ищет какой-то дилетант... Он опасен, да, но не умен. И не ловок... Пожалуйста, успокойся. И ты, и твой папа, — вы оба сейчас в безопасности, поверь. Хорошо?

— Хорошо...

— Скажи-ка, папа рядом? Я могу с ним поговорить?

Маша не ответила, но и не отключилась. Пауза тянулась пару минут, Алексей ждал. Раз трубку не отключила, значит, совещаются.

Наконец телефон ожил.

— Сейчас за вами придут, — раздался Машин голосок. — Вы вправду прямо возле моего «Купера»?

— Да.

— Ждите.

И она отключилась.

Спустя несколько минут до них донесся легкий треск веток. Алексей прошел назад — туда, где, по памяти, в заборе имелся лаз. И точно, вскоре из него показалась голова Олега. Кис протянул руку, помогая ему выбраться из сплетения веток. Священник распрямился, отряхнулся.

— Пойдемте, — произнес он и, сделав приглашающий жест, приготовился нырнуть обратно в лаз. — Я отведу ветки, чтобы вам сподручнее было пробраться...

— Погоди, юноша, — преградил ему рукой путь детектив. — Неужто более цивилизованного пути в подземелье не существует?

— Существует, — усмехнулся Олег. — А вы молодцы, вычислили... Но если пробираться цивилизованно, как вы выразились, то придется пройти через ворота. И далее можно спуститься в подземелье через дом или через мою часовню. Был еще ход через погреб за оранжереей, но теперь им никто не пользуется, погребом, и дверь в него заколочена. Так вот, если мы войдем в ворота, нас увидит как минимум Федор, через камеры. Да и кто-нибудь из домашних непременно встретится. А потом мы вдруг исчезнем, чем озадачим всех. Стоит ли?

Алексей вздохнул печально: делать нечего, придется ползти.

Неожиданно Игорь встал на пути у Олега, который уже повернулся к кустам, готовый проделать обратный путь через лаз.

— Постойте... Постойте все, ты тоже, Кис! А зачем нам встречаться с Донниковым? Он ничего не знает, он ничего не понял. Маша тоже, что простительно. Если только они не в сговоре с отцом с самого начала, конечно...

— Христос с вами, какие циничные мысли! — искренне удивился Олег. — Даже думать забудьте.

— В таком случае что они могут нам ценного сказать?

— У меня есть к ним вопросы, Игорь, — сухо проговорил Кис.

— Почему бы не задать их по телефону?

— Ты кого не хочешь видеть, юноша? Евгения Дмитриевича? Или Машу, а? — поддел он ассистента.

С Игорем что-то творилось, какая-то сумятица чувств — но Алексей не желал разбираться в нюансах его настроения. По крайней мере, сейчас. Ему и без Игоря хватало загадок и головоломок.

— Лично тебе необязательно туда идти, — холодно произнес он. — У тебя есть другой вариант на этот вечер: садись в мой джип и заведи его обратно на участок. А потом можешь посмотреть телевизор, к примеру. Или кино через Интернет. По-моему, уже вышли новые серии «Теории большого взрыва», который ты обожаешь. Шелдону привет, бугагашенька. Олег, — отвернулся от ассистента детектив, — полезли, я за вами.

Игорь остался по ту сторону. Он и сам не понимал, что на него нашло. Будто он ревновал Машу к ее отцу — но такого не может быть, поскольку полный бред. И все же он ясно чувствовал: любящий папаша внезапно воскрес, и Маша снова ощущает себя под защитой... И больше не повторится та ночь, когда Маша заснула, доверчиво положив свою золотистую головку Игорю на колени и приобняв его ноги... Это случилось не потому, что ей было хорошо с ним, — а потому, что ей было плохо без папы, она горевала, она его оплакивала и нуждалась в утешении... Но папа вновь рядом, и Игорь ей больше не понадобится.

Все тут нормально и понятно — только непонятно, что делать с этой нежностью, расплескавшейся в его сердце. Как перекрыть кран, как заткнуть брешь, пока его с головой не затопило?!

Криска-Криска, подумал он с тоской, что же ты со мной делаешь? С собой, с нами? Ты отстранилась от меня — неважно почему, комплексы тому причиной или гранты, — и ты пробила брешь в моей душе. Теперь она, как дыра в стене, в которую может легко залететь ветер других чувств...

Ладно, хорош жаловаться, сказал Игорь себе. Вдохнул-выдохнул несколько раз поглубже, чтобы ослабить узел, завязавшийся внутри. Затем вернулся к джипу шефа и вскочил на его высокую ступеньку: поехали, дружок, поставим тебя в стойло.

Детектив со священником пробрались на участок и направились к часовне, старательно обходя все постройки, чтобы не столкнуться ни с кем из садовников.

— Как вы догадались? — спросил Олег.

— Сначала понял, что академик жив. А затем сообразил, где прячется от всех.

— А поподробней нельзя?

— Можно. Но это долго. Скажите, Олег, вы с самого начала знали все?

— Да.

— И о покушениях, и о плане, который Евгений Дмитриевич разработал вместе с Бицаевым?

— Сначала со мной. Это я подал ему идею

уехать в Адыгею и там, подальше от любопытных глаз, инсценировать несчастный случай. А затем они с Аланом доработали детали.

— В вас умер автор детективов.

— Ну почему же умер. Он вполне жив. И даже публикует книжки.

— Не может быть! — Кис от неожиданности остановился. — И под какой же фамилией — или псевдонимом — они выходят?

— Этого я вам сказать не могу, секрет. Иначе мне придется делать выбор между карьерой... стезей писателя и стезей священника.

— Хм. Вы и вправду писатель. Цену слову знаете. Вовремя заменили «карьеру» на «стезю», — усмехнулся Алексей.

— Не только писатели знают цену слову. Еще и демагоги всех сортов. Они тоже ловко заменяют одни слова другими, маскируя смысл.

— Вы интересный собеседник. Я в вашем возрасте этого еще не понимал.

— Благодарю. У вас эпоха была другая. Вам морочили головы только по одной, партийной, линии, а нынче — со всех сторон. Реклама пытается вас обдурить, коммерсант, депутат, ЖКХ... Недостающее легко вписать.

— И снова верно. О подземелье домашние знают?

— Нет.

— А Васильич?

— Не более чем остальные. Он имеет в своем распоряжении шампиньонный зал, остальное ему неведомо.

— Вход в него ведет из дома, вы сказали. И никто за все эти годы не обнаружил потайную дверь?

— Я здесь не так давно — с тех пор как Евгений Дмитриевич женился на Лене. Не представляю, как тут раньше было... Но Евгений Дмитриевич считает, что «его женщины» заняты своими делами и устройством дома не интересуются. А вход в подземелье хорошо замаскирован, даже мне не известно, где он. Маша, в силу ее неуемной любознательности, давно выяснила, что под землей находится царство шампиньонов... Но не более того. Мы пришли.

И в самом деле, они уже стояли перед часовней. Олег достал ключ — весьма затейливый, с дырочками и пупырышками на бороздке — и вставил его в замочную скважину. Поворачивать ключ не пришлось: что-то сразу зажужжало, потом пропищало, и дверь растворилась сама.

Они вошли. Олег первым делом запер за собой дверь, зажег свет в часовне и направился к алтарю. Детектив за ним. Обойдя алтарь сбоку, священник отпер еще одну дверь — на этот раз вполне обычную обычным же ключом, — и они оказались в небольшой комнатенке. Узкая кушетка справа, небольшой письменный стол у задернутого непрозрачной занавеской окошка — на нем стопки книг и довольно старый компьютер. Вся левая стена утыкана крючками, на которых висела разного рода одежда. Куртки с джинсами соседствовали с рясами и какими-то парчовыми облачениями, Алексей не знал их названия. Пол покрыт ковриком из пестрых лоскутов — наверняка подарок какой-нибудь местной рукодельницы.

Олег отодвинул письменный стол, откинул лоскутный коврик и взялся за кольцо, вделанное в пол.

— Готовы?

Кис кивнул.

Темный люк пахнул на них сыростью. Олег спустился на несколько ступенек вниз, что-то нашарил на стене — и внизу загорелся мягкий свет.

— Ну вот, теперь идите за мной.

Ступенек оказалось довольно много, Алексей прикинул, что спустились они метра на три, а то и больше.

— По словам Евгения Дмитриевича, — негромко рассказывал отец Нил, — он в эпоху строительства подземелья опасался, что корни садовых деревьев проникнут до укрытия и разрушат крышу. Позже он нанял Васильича и узнал, что плодовые деревья не имеют глубоких корней. К тому же основной подземный зал — тот, где теперь шампиньоны растут, — находится под огородом. А репки-морковки уж точно не дотянутся до убежища, — улыбнулся Олег. — Так что Евгений Дмитриевич немного перестарался с глубиной закладки, как выяснилось... Шампиньонная теперь отрезана от остальной части подземелья, все ходы-выходы из него замурованы, кроме того, которым пользуется Васильич. Он и не догадывается, что за стенкой существуют жилые помещения...

Свет в коридоре вспыхнул сам, как только они в него ступили с последней ступеньки. Чуть дальше его преграждала массивная металлическая дверь.

— Этот ход Евгений Дмитриевич велел проделать относительно недавно, во время строительства часовни, — пояснил Олег. — Ему не нравилось, что из-за грибного огорода подземелье оказалось отрезано от части коридоров, и потому он решил построить новый, из часовни. Видите, тут современное освещение, электронные замки... О нем тоже никто не знает, кроме самого академика и меня.

Алексея все больше интриговал этот парень, священник и автор детективов, которому Донников безгранично доверял. Может, он и не священник вовсе — да и не факт, что писатель, — но тогда кто? Какая роль отведена ему академиком?

Впрочем, на это расследование детектива никто не подряжал и денег за него платить никто не собирается. Так что стоит поумерить свое любопытство, проку от него все равно не будет.

Ключ от металлической двери — такой же затейливый, как и при входе в часовню, — тоже оказался у Олега в кармане, и вскоре они уже шли по странному помещению, напоминавшему плацкартный вагон. В каждой нише по левой стороне находились по два лежака (хотелось сказать — «полки»), по правой — столики с одноместными сиденьями визави. Немного дальше обнаружились санитарные удобства, две душевые кабины слева, два туалета справа — а за ними комната побольше, со множеством полок и необъятным холодильником. Она явно задумывалась как склад продовольствия, но сейчас запас ограничивался лишь некоторым количеством коробок — чай, кофе, сахар, макароны, гречка, что-то еще — и консервами. Кухни тут наверняка не имелось, но вода и электричество проведены, так что вполне можно сварить на плитке макароны, приправив их тушенкой, к примеру. Судя по всему, что увидел Алексей, академик предполагал — в ту пору, когда подземелье строил, — что уж если однажды доведется прятаться в нем, то всей семьей. И вряд ли ожидал воспользоваться им в подобных обстоятельствах да в одиночку.

На их пути возникла еще одна дверь, снова металлическая. Для разнообразия она оказалась не заперта, и Олег распахнул ее перед детективом:

— Прошу.

Кис ступил в довольно большое помещение. Стены и пол его покрывали старые, потертые ковры: казалось, Евгений Дмитриевич собрал здесь эти некогда обязательные украшения стен и полов из своей бывшей московской квартиры, а то и из родительской, бабушек-дедушек. Под землей было весьма прохладно, что и объясняло данный способ теплоизоляции. В остальном убежище напоминало обычную (не считая отсутствие окон) комнату, обставленную вышедшей из моды мебелью советских времен, но вполне комфортной.

Евгений Дмитриевич с Машей сидели на потертом кожаном зеленом диване у стенки (покрытой ковром, да). Девушка прижималась к плечу отца, лицо ее сияло от счастья.

— Алексей Андреевич! — кинулась к нему Маша. — Вы на меня не сердитесь? Мне пришлось сказать вам неправду, потому что никто не должен был знать про папу... Но раз вы сами догадались, то теперь уже нет смысла скрывать. А Игорь... Он не с вами?

— Я поручил ему поставить джип на место, нельзя же было бросить его в лесу, — проговорил Алексей и подумал, что врет он куда больше Маши, но при этом даже не извиняется. — Евгений Дмитриевич, полагаю? — повернулся детектив к невысокому крепкому мужчине, который протягивал ему руку.

— Он самый. А о вас Маша мне все уши прожужжала, так что можете не представляться. Присаживайтесь.

Маша с отцом снова опустились на диван, а детектив взял стул и сел на него верхом, лицом к собеседникам.

— Мне, Алексей Андреевич, — начал Донников, — тоже придется покаяться во лжи. Возможно, я нашел не самое элегантное решение, чтобы остаться в живых, но лучшего придумать не удалось. Кроме того, я очень боялся, что убийцы, не сумев достать меня, возьмутся за мою дочь... — Он положил ладонь на Машину головку, будто защищая.

...Вот оно что! Кис, с самого начала предположивший, что академик может оказаться жив, отмел эту гипотезу, сочтя подобное решение отца слишком жестоким по отношению к дочери. Но он тогда не мог и предположить, в какой невероятной ситуации оказался Донников. Будучи уверенным, что за ним охотятся самые могущественные силы в стране в охоте на себя, академик решил своей мнимой смертью защитить и Машу.

— По телефону вы сказали моей дочери, что мы в безопасности, — продолжал академик. — Но почему вы так решили, если на Машу еще сегодня утром покушались?

— Евгений Дмитриевич, я буду краток. В безопасности вы потому, что укрылись здесь, а тот, кто хочет вашей смерти, вовсе не всемогущ, как вы считали. Дело в том, что покушения на вас совершенно не связаны с обнаруженным вами токсином... — Алексей не стал вдаваться в детали, поскольку не знал, посвятил ли академик Машу в историю с отравлением Президента. Лучше бы не посвящал, конечно... — У меня есть веские причины так считать. Могу их изложить, если угодно.

— Не стоит, теперь я и сам так считаю. Пока я тут сидел, у меня было время поразмыслить обо всем в спокойной обстановке, и я понял, что дал маху. Но тогда я сильно испугался, не только за себя, но и за Машутку, за родных. И был убежден, что все это следствие моего открытия... «У страха глаза велики», как известно. Я даже в полицию обратиться не решился, уверенный в существовании некоего негласного приказа, в силу которого никто помогать мне не станет... В общем, рассудил я довольно бестолково и поступил не совсем адекватно.

— Это вы зря. Поступок ваш был весьма радикальным, да, но пошел вам на пользу. Не будь его, мы бы сейчас, возможно, не беседовали тут мирно, а Маше пришлось бы в самом деле оплакивать вас всю жизнь... Так что все пока неплохо складывается. Особенно если у вас есть столь же талантливый сценарий воскрешения.

— Есть, не беспокойтесь, — усмехнулся Донников.

Алексей только кивнул, любопытствовать не стал.

— Кстати, а голубь с ажурным хвостом — это чья выдумка, если не секрет?

— А он не прилетал? — разочарованно спросила Маша, посмотрев на священника.

Понятно, у отца с дочерью было недостаточно времени поговорить обо всем в деталях. Алексей представил, какой шок испытала девушка, когда Олег привел ее к отцу, живому и здоровому. Одно только подземелье чего стоит — подземелье на участке, знакомом с детства, который Маша облазила вдоль и поперек и знала, как ей казалось, на нем каждый куст и каждый камень! Уже потрясение. А затем встреча с отцом, живым и невридимым... Присутствовай при ней зрители — наверняка никаких платков бы не хватило.

— Хотя что я спрашиваю. Выдумка Олега, без сомнения, — и Алексей повернулся к молодому человеку, все это время тихо сидевшему на стуле в углу. — Особенно мне понравились «Подмосковные вечера». Блеск!

Маша укоризненно покачала головой, глядя на священника.

— Ну, я сразу понял, что вы все досконально проверяете, — пояснил Олег, несколько смутившись, — от вас не отделаешься рассказом в общих чертах. Поэтому мне пришлось продумать все детали. Взял на душу грех, да, — но ради благой задачи: убедить вас взяться за расследование. Для нас всех это был единственный шанс найти правду...

— Знаете, я никого из вас не виню за то, что вы нас так разыграли, хоть это и жестоко... — проговорила Маша. — Наоборот, я благодарна Олегу и Алану, ведь они помогли тебе скрыться от убийцы, — она погладила руку отца, — и теперь у меня такое счастье, такое огромное счастье: знать, что ты жив! Но ты, Олег, как же ловко ты меня обманул! — И ее глаза метнули молнии в сторону священника. — Голубь с письмом на шее к тебе прилетел, обхохочешься! Но ведь заставил меня поверить, вот что поразительно!

Олег ничего не ответил, только ресницы опустил, как занавеской занавесился, но улыбка успела проскользнуть юркой рыбкой в его глазах.

— Не только тебя, Маша, — утешил девушку детектив. — Мы с Игорем сделали поначалу несколько ошибок, потому что приняли *возможность* за *действительность*. Я, ты знаешь, просветился сначала в Клубе голубеводов, затем мы предположили, что голубь дрессированный, — потратили уйму времени на то, чтобы убедиться в самой *возможности* появления голубя с письмом. И, убедившись, поверили, что так и было. Точно такую же ошибку мы допустили с «местом аварии». Тщательно изучили горную дорогу по картам и пришли к заключению, что там имелась *возможность* для убийцы подстеречь академика и загнать его в пропасть. Но это тоже была всего лишь *возможность*, что вовсе не тождественно реальности...

— Хорошо сказано, — тихо произнес Олег.

«В свой роман собирается вставить, что ли? — мысленно возмутился Кис. — Плагиатчик!»

— И к слову: Евгений Дмитриевич, а вы уверены, что токсин... — детектив посмотрел на Машу и осекся. — Ну, вы знаете, о чем я. Действительно ли имел место злой умысел? Мало ли, вдруг вы тоже совершили ошибку и приняли возможность за реальность? А там просто на подоконнике растет цветок, который испускает ядовитые вещества? Я как-то читал: оказывается, среди домашних растений уйма токсичных!

— У меня нет достаточных сведений об этом. Вопросом занялись другие люди. Но в принципе, такой вариант исключить нельзя.

Кис покивал в ответ с философским видом. Вот так рождаются мифы и легенды. Если даже и выяснится, что дело все в невинном цветке, то слухи о покушении на жизнь Президента будут гулять еще долго...

— Реальность же вот какова, — вернулся он к теме. — Пусть не те люди, что вы думали, Евгений Дмитриевич, но кто-то хотел вас убить. И этот «кто-то» находится в Машином списке.

— В каком? — повернулся Евгений Дмитриевич к дочери.

— По которому я звонила? — уточнила девушка у детектива.

— Да. Ведь на тебя попытался наехать мотоциклист на следующий день после того, как ты обзвонила разных людей с расспросами о настроении папы. Связь тут очевидна.

— И кто же это?! — воскликнула Маша.

— Не знаю. Давайте думать вместе. Твои листочки у меня... Сядем к столу и посмотрим.

— Я могу? — спросил Олег.

— Прошу вас.

— Только не со мной рядом! — прошипела Маша. — Обманщик!

Несколько минут Евгений Дмитриевич и Маша, плечом к плечу, читали список. Олег заглядывал сбоку, а потом, когда они закончили, придвинул листки к себе.

— Не вижу никого, кто мог желать моей смерти, — наконец произнес академик.

— Вы неправильно сформулировали вопрос. Надо искать не того, кто мог бы *желать* вам смерти, — а кто от нее *выигрывал*. Это разные вещи.

— Таких людей я тоже не вижу.

— Вы завещание писали?

— Нет.

— Надеюсь, вы говорите мне правду. Это очень важный факт. Если завещание существует и кто-то о нем знает...

— Я не писал. Не собирался пока умирать. А когда на меня покушаться стали, то уже не до мыслей о завещании было, — усмехнулся Евгений Дмитриевич.

— Хм. Признаться, я рассчитывал найти отгадку в завещании... Но раз его не существует, придется искать в другом месте. Среди всех людей, которых расспрашивала Маша, мы одним махом можем вычеркнуть домашний персонал. Никто из них не выгадывает в случае вашей смерти, согласны?

— Полностью.

— То же относится к садовникам. Они лишь все потеряют, не стань вас однажды.

— Ну, потерять не потеряют, поместье ведь никуда не денется.

— Вы уверены? Евгений Дмитриевич, я не люблю давать советы малознакомым людям, но, знаете, на вашем месте я бы все-таки завещание написал. Всякое может случиться, не в нашей власти назначить дату своей смерти. А без вас здесь действительно начнется хаос.

Академик кивнул, несколько сухо. Ясно, ему не понравилось, что какой-то детектив учит его, светило науки, как жить. Но он задумается, Алексей был уверен.

— Далее, родственники, живущие в доме. У вас есть жена, сестра, мать и дети. Они все получат наследство, и это мотив. Но я слабо представляю кого-то из них в роли...

— Это не мотив, уважаемый Алексей Андреевич, — возразил Донников. — Мои женщины живут на всем готовом. Я их люблю и жизнь в доме обустроил так, чтобы им не приходилось ни в магазины ходить, ни готовить, ни убирать. Они на полном и очень хорошем обслуживании. Сомневаюсь, что кусок наследства возместил бы им подобный комфорт. Кроме того, они порядочные люди, у которых есть мораль, и они любят меня. А если вам и этого мало, то скажу, что все они по натуре инертны и никогда бы на такое не решились. Для убийства надо не только зло в душе иметь — надо еще суметь его технически организовать!

— Совершенно верно. Поэтому всех домашних мы исключаем. Далее, двое ваших взрослых детей, которые учатся в Лондоне. Их мы тоже исключаем уже хотя бы потому, что из Лондона наезд на Машу не организуешь. Кстати, а в тот период, когда покушались на вас, они были здесь?

— Они были здесь на моих похоронах, — мрачно ответил Донников.

— Петя с Люсей сдали экзамены в университете, — решила помочь отцу Маша, — и собирались провести у нас каникулы. Но папа сказал им, что поедет в Адыгею, и тогда они отправились к своей маме в Питер. А к нам решили приехать после. Ну вот приехали... на похороны...

— Понятно. Теперь, ваша дочь Юля и ее мать Инна. Они могли что-то выгадать?

— Инна по закону никакого наследства не получит. А Юля... Даже не знаю.

— А я знаю, пап. Лена тут каждый день причитала, что ей с детьми придется с голоду умирать, и так меня достала, что я почитала законы. Оказывается, в отсутствие завещания все наследники получают поровну. Там еще всякие уточнения про иждивенцев, нетрудоспособных, проживавших совместно, но они не сильно меняют картину, помоему. Это значит, что Юля тоже получила бы какую-то часть. Но всех наследников так много, что ничего существенного ей бы не досталось, думаю. Вот если бы ты отписал лично ей крупную сумму в завещании и она об этом бы знала — тогда другое дело.

— С какой стати? — возмутился академик.

— Я просто законы рассказываю, пап.

— Вы обсуждали с Юлей свои финансовые дела? Советовались?

— Нет, зачем мне? Я не бизнесмен, деньги никуда не вкладываю, не проворачиваю никаких дел, на бирже не играю. Они приходят ко мне на счет — зарплата директора «Заповедника здоровья», гонорары за консультации, приемы пациентов, за преподавание, за лекции, статьи, книги... У меня есть карточка, и я эти деньги трачу. Ну, есть еще пара накопительных счетов под проценты. Вот и вся финансовая премудрость. Для этого мне никакие советы не нужны. А уж тем более Юлины. У нас натянутые отношения.

— Маша, а почему ты в телефонном разговоре спросила Юлю, не звонил ли ей папа, чтобы посоветоваться? — повернулся к девушке Алексей.

— Просто так, чтобы разговор поддержать. Она мне сестра, но всегда такая холодная со мной, что я даже теряюсь... Она меня спросила, с какой стати я решила задавать ей вопросы про папу, — ну вот я и ляпнула. Знаю, что она в каком-то банке работает...

— Надеюсь, не в том, где вы храните свои деньги? — посмотрел на Донникова Кис. У него мелькнула смутная мысль о финансовых махинациях, которые, мало ли, эти две женщины могли проделывать со счетами академика. А затем попытались его убить, чтобы он не успел этого заметить... Бред, конечно, банковскую защиту под силу взломать лишь крупнейшим хакерам. Это уже детектив придумал от отчаяния, что никак не может найти зацепку.

Тот пожал плечами.

— Кажется, она в «Сбербанке»... А у меня «ТТТ».

— А с ее матерью ничего не обсуждали?

— Последний раз я разговаривал с Инной двадцать один год назад, в день совершеннолетия Юли. До этого я постоянно платил ей алименты, без всякого суда, просто помогал. А в тот день сказал Инне, что теперь буду давать деньги дочери, а не ей.

— И давали?

— Постоянно, до тех пор, пока она не начала прилично зарабатывать на жизнь сама. Она вскоре после школы ребенка родила, которого, к слову, никогда мне не показывала... Впрочем, я не настаивал, если честно, Юля способна любому отбить охоту с ней общаться. Не удивлен, что она так и не вышла замуж... Я ей помогал, пока она с ребенком сидела, потом училась на бухгалтера, после начала работать, но получала очень мало. Несколько лет назад я ее спросил, достаточно ли она теперь зарабатывает или все еще нуждается в моей поддержке. В ответ она заявила, что больше ей мои подачки не нужны. *Подачки*, так и сказала. Хотя получала от меня в виде помощи сумму в два раза больше, чем средняя зарплата. И я до сих пор ей время от времени денежные подарки делаю. И ребенку на каждый день рождения. Юля всегда мне напоминает об этой дате, она особо не церемонится.

— А ваши друзья? Маша звонила... — Алексей придвинул к себе листочки, — профессору Спиридонову и академику Мальцеву. Это близкие друзья?

— Ну, Витя Копылов ближе. Эти двое, если

уж выразиться поточнее, мои добрые приятели и уважаемые профессионалы.

— О покушениях вы рассказали только Копылову.

— Это не значит, что я другим не доверяю... Это ведь большой секрет! Меня сам Президент просил его не разглашать! Послушайте, вы спрашивали, кто выгадывает от моей смерти. А мои друзья ничего не выгадывают. Они не могут присвоить себе мои идеи, мои труды, книги, статьи. Они не могут занять мое место. Они не могут унаследовать мои деньги.

— Никаких недоразумений по части авторства?

— Были однажды с Витей Копыловым. Но мы все решили полюбовно.

— Это как?

— В прошлом году я написал статью и показал ее Вите. А он внес несколько дельных соображений. Они касались больше формы, чем сути, и я не стал указывать его как соавтора. Но Витя обиделся... И я поставил его фамилию рядом со своей. Так что мы это недоразумение легко уладили.

— А кто займет место директора Заповедника, если вас однажды не станет?

— Есть человек, которого я собираюсь сделать своим заместителем в ближайшем будущем: это мой аспирант, чрезвычайно талантливый врач и умница. Он глубоко вник в мою идею, готов ее развивать и защищать. О нем я думал как о своем преемнике... Но этот человек не является моим близким другом, он не знаком с моей семьей, и Маша ему не звонила.

— Прекрасно. Я понял, что вокруг вас только

хорошие люди. И все-таки кто-то пытался убить вас — а потом и Машу. Причем кто-то из этого списка. Если бы вашу дочь хотели устранить по иным причинам, то уже давно бы попытались. Однако покушение произошло лишь после ее звонка. Значит, кто-то испугался, что Маша пытается расследовать смерть отца!

— Но кто? — воскликнула девушка.

— Не знаю, — мрачно ответил ей детектив.

Все растерянно умолкли. Олег перечитывал листочки Маши. Донников сидел с задумчивым видом, обняв дочь за плечи.

— Не хотите ли кофе? — вдруг нарушила тишину Маша.

— С удовольствием, — очнулся от своих мыслей детектив и посмотрел на часы. Он здесь уже почти два часа, надо же! Как быстро пролетело время за разговором... Чем Игорь занимается, интересно? Может, он вообще в Москву уехал выяснять отношения с Кристиной?

Он достал свой мобильный, посмотрел на экран. Ага, тут, в подземелье, не ловит. Ни пропущенных звонков, ни эсэмэс, ни голосовых сообщений он не получит и не увидит, и сам позвонить не сможет. То-то за два часа телефон ни разу не вякнул.

— Я в скором времени займусь этим, — проговорил Донников, уловив его взгляд. — Интернет здесь работает через кабель, а вот wi-fi и что там еще нужно для мобильной связи отсутствует. Когда я строил подземелье, только-только появились пейджеры, — усмехнулся он. — Тогда было трудно поверить, что однажды люди начнут разгуливать с телефонами по улице. Но «однажды» наступило невероятно быстро, и теперь невозможно представить, что этого не было раньше.

— Чтобы позвонить, нужно в часовню вернуться, — произнес священник. — Там ловит.

— Спасибо, ничего срочного, — ответил Кис и тут же пожалел: разговор завис, ему сказать пока нечего, и лучше покинуть эту гостеприимную компанию, ждавшую от него чуда. Уйти и подумать наедине. Или обсудить с Игорем.

Он уже хотел объявить, что вспомнил об одном важном деле, как Маша принесла банку с растворимым, но хорошей марки кофе и электрочайник. Затем снова сходила на «склад» и вернулась оттуда с подносом. Чашки, ложки, сахарница и вазочка конфет.

— Я не знаю, кто какой крепости любит, так что вы сами себе насыпайте и наливайте, сколько нужно, — она села на свое место.

Теперь Алексею было неловко уйти. Надо хотя бы выпить кофе.

— Мне вот интересно было бы узнать, Алексей Андреевич, — заговорил вдруг Олег, — прислушиваетесь ли вы, расследуя дела, к своей интуиции? В романах и в кино — там всегда сыщикам то интуиция подсказывает, то внутренний голос, то они каким-то шестым чувством чуют... А как у вас?

— По-всякому. Но я предпочитаю, когда интуиция подсказывает мне то, что затем одобряет логика.

— Отлично сказано! И как вы добиваетесь подобной гармонии? Ведь логика оперирует фактами, не так ли? А у интуиции никаких фактов нет, это всего лишь ощущение...

— Вы у меня интервью берете?

— Нет, просто интересно. Не каждый день с

живым сыщиком сталкиваешься, да еще и с таким проницательным! Вы мне обещали рассказать о том, как вычислили, что...

— Помню, — буркнул Кис. — Когда будет время.

И вдруг он подумал, что Олег для своих романов интересуется. Ну и ну, скоро он так Киса в консультанты позовет!

Кофе выпит, Алексей поднялся. Сославшись на дела, объявил, что пора ему откланяться. Олег неожиданно к нему присоединился. Ему, мол, тоже пора. К тому же все равно надо сыщика проводить, не то сам он отсюда никогда не выберется, без ключей-то.

Алексей с неудовольствием подумал, что сейчас священник-детективщик начнет его терзать вопросами, как-де он вычислил, что Донников жив и что прячется в подземелье. Кис не собирался делать из этого секрет, но рассказывать и впрямь долго, а Алексей хотел сосредоточиться на деле. Он уже совсем близок к разгадке, до убийцы уже рукой можно дотянуться — но между ними будто стена из непрозрачного стекла, за которой просвечивают лишь размытые силуэты...

— Как только у меня будут новые соображения, я немедленно с вами свяжусь. Только как это сделать? — обратился он к Донникову.

— Через Олега, — ответил академик.

— Маша ведь останется здесь? Ей не стоит рисковать и...

— Разумеется.

Кис одобрительно кивнул, пожал руку Донникову, чуть приобнял Машеньку.

— Игорю привет от меня передайте, ладно?

А Игорек-то наш ей понравился, похоже...

— Непременно, — пообещал детектив и направился к двери.

Священник двинулся за ним.

...Выбрать Юлю на роль заказчицы убийства проще простого, думал Кис, направляясь к выходу, для этого даже интуиция не понадобится: она самый неприятный персонаж из всех, так и хочется ткнуть в нее пальцем. В крайнем случае в ее мать, брошенную Донниковым на заре ее юности. Вот только ни одного факта, который хотя бы косвенно подтверждал подобное предположение, у него нет. Нет мотива, вот что самое главное. Месть не прокатит — Юле под сорок, неужто ее мать ждала столько лет, чтобы отомстить мужчине? А сама Юля должна быть отцу благодарна за помощь. Он ведь мог ее и не признать. И не платить. Донников же без суда, сам решил помогать, когда еще только на стипендию жил... А он вообще уверен, что Юля его дочь? А то ведь ушлая студенточка Инна могла и от другого залететь, между прочим! И Донников всю жизнь опекал кукушонка, подброшенного в его гнездо.

Алексей резко остановился, не дойдя до двери. Олег, шедший позади, чуть не налетел на него.

— Евгений Дмитриевич, а вы когда-нибудь тест на отцовство делали? Юля действительно ваша дочь?

— Не делал, — удивился академик. — А зачем бы Инна принесла мне ребенка, если бы он был не мой?

— Чтобы вытянуть из вас деньги, к примеру.

— Да что вы... Мне такое и в голову не могло прийти...

— Хорошим людям никогда не приходят в голову плохие мысли, — покачал головой детектив, — поэтому плохие люди легко их объегоривают.

— Думаете, что покушения на меня как-то могут быть с этим связаны?

— Я ищу мотив. Представим такую ситуацию: у Инны ребенок не от вас. И они с дочерью по какой-то причине боялись: вдруг вы засомневаетесь и сделаете тест. И тогда откажетесь от Юли.

— Вряд ли возможно отказаться от отцовства задним числом.

— Через суд, думаю, вполне.

— Но не такая уж большая сумма выйдет, если разделить мои деньги на всех.

— Да, набирается десять человек, — подала голос Маша.

— Ты посчитала Юлиного сына? — обратился Алексей к Маше. Но внуки относятся ко второй очереди наследников. Итак, убивать вас, чтобы поскорее получить наследство, может, и не стоило бы, с точки зрения Юли. Однако если будет доказано, что Юля не ваша дочь, то она рискует его совсем не получить. Никогда.

— Вы так говорите, будто уже твердо знаете, что именно Юля подсылала ко мне убийцу.

Кис покачал головой:

— Увы, я ничего не знаю твердо. Просто рассуждаю вслух. Ищу мотив убийцы и цепляюсь за каждую шероховатость в фактах... Кстати, Маша, когда ты подсчитывала суммы наследства, ты совсем не учла, что в него входит еще поместье. Оно стоит немало, на три-четыре миллиона долларов потянет, полагаю, а то и больше. В случае вашей смерти, Евгений Дмитриевич, его пришлось бы тоже делить, вы об этом подумали? А если у вас есть еще квартиры в центре Москвы, дорогие машины — то все это тоже входит в понятие имущества и подлежит разделу. Тем более что завещания нет. В нем-то вы могли бы указать, кому какие суммы причитаются, оставив большую часть Маше, вашей маме, сестре, Лене, не знаю. А без завещания — все поровну. Прикинем: три (минимум!) миллиона, разделенные на девять наследников... получается больше трехсот тысяч долларов каждому. И это не считая денег на вашем счету и во вкладах. Там, полагаю, тоже не мало.

— Даже не знаю, сколько сейчас, я редко в личный кабинет своего банка заглядываю... — пробормотал академик, совершенно обескураженный подсчетами детектива. — Я много зарабатываю, но у меня много трат. Я ведь всех содержу... И зарплату плачу работникам...

— Ладно, не принципиально, допустим еще сотня-другая тысяч долларов каждому. А это уже выливается в грандиозный мотив... Особенно если Юля уверена, что вы завещания не писали и что в случае вашей смерти дележка произойдет поровну. Она могла об этом как-то узнать? Задавала вам вопросы?

— Нет. Хотя погодите... Дайте-ка вспомнить... Был разговор. Она в очередной раз напомнила, что у ребенка день рождения. Я ответил, мол, спасибо что позвонила, а то бы я забыл... И она тогда говорит: «Надеюсь, ты про внука не забудешь, когда завещание станешь писать». А я ей в ответ сказал, что пока не собираюсь...

— Превосходно. Итак, Юля знает, что завещания вы пока не написали. И у вас *внук*. Мальчик.

Юлин сын. Ему сейчас лет двадцать, если я правильно посчитал.

— Примерно.

— Ага... Адресом и телефоном Юли снабдите?

Донников пробежался по кнопкам своего смартфона.

— Вот, переписывайте, — показал он дисплей сыщику. — Вы все-таки считаете, что за покушениями стоит она?

— Не считаю. В данный момент я предполагаю, а не утверждаю. А там видно будет. Доброй всем ночи.

Глава 11

ЕСЛИ ХОРОШЕНЬКО ПОСЧИТАТЬ

Поздним вечером все собрались в кабинете детектива на Смоленке: он сам и его пацаны, Игорь с Ромкой.

Игорь, отменный кулинар, приготовил ужин — Алексей был зверски голоден, так как горка бутербродов и ложечка жаркого из кролика превратились к этому часу лишь в смутное воспоминание; Роман приехал прямо из мастерской, где к концу трудового дня тоже успел нагулять аппетит. Игорь, напротив, был сыт: все то время, которое Алексей провел в подземелье, он сидел в отведенной ему у Донниковых комнате и ожесточенно играл в стрелялку, но Люба ухитрилась дважды за вечер накормить его.

Времени на готовку было мало, и Игорь просто нажарил огромную сковороду картошки с луком и кусочками курицы — но Алексею и Ромке это показалось пищей богов.

— В общем, так, — проговорил Кис, закончив поглощать ужин, — историю придется рассказать с самого начала, поскольку ты, Игорь, не знаешь ее последнюю часть, а ты, Роман, не знаешь вообще ничего. Помнишь девушку, Машу, с которой мы приезжали к тебе три дня назад, чтобы заменить разбитую фару?

— А тачка какая?

— У нее «Мини-Купер».

— Тогда помню.

— Ну вот, слушай...

Рассказывал Алексей обстоятельно, по своей привычке ничего не упускать из виду. Заодно он этим изложением проверял себя: правильно ли складывается мозаика фактов и догадок, не упустил ли он чего?

Игорь время от времени поддакивал или подсказывал слово, и все выглядело вполне стройно, детектив был доволен.

Кайф поломал его сын.

— Как же ты сразу не понял, что мотоциклист не мог быть послан кремлевскими отравителями? — перебил он Алексея.

— Я понял сразу! — возмутился Кис. — Сразу, как только мне представилась возможность спокойно поразмыслить. До этого информация валилась в мой мозг, как щебенка из самосвала, я не успевал ее отсортировывать. И потом, знаешь ли, откровение о том, что кто-то пытается отравить самого Президента, —оно несколько парализует. Тормозит умственную деятельность. Но как только я сумел сосредоточиться, у меня сразу же возникло ощущение, что за мотоциклистом стоит *влюбленная женщина*. Мать или подруга, которая этого парня боготворит. Не замечает его промахов, относя их на счет обстоятельств, и свято верит, что в следующий раз у него все получится. Потому что он гениальный, самый лучший.

— И это ощущение оправдалось?

— Дослушай и узнаешь.

Наконец Алексей подобрался к финалу своего повествования.

— Как видите, у меня пока нет никаких фактов против Юли. Но выяснилось, что у нее есть сын, причем примерно такого возраста, как мотоциклист. И скорее всего, она его обожает. Не просто обожает, а... У таких женщин, как она, как ее мать — женщин с несложившейся личной жизнью, — обычно много горечи в душе. Желчи, тоски, агрессии... Ну, как-то так. Я не психолог, так что получше сформулировать не могу.

— Да это просто женщины, которых никто не любил. Причем они сами виноваты в силу скверного характера, но винят других, — заявил новоявленный психолог Ромка. — И недостаток любви со стороны мужчин они компенсируют нездоровой любовью к сыновьям. Эта любовь, между прочим, довольно часто заканчивается криминалом. Такие случаи описаны в учебниках.

— Как хорошо иметь под рукой собственного психолога! — несколько ехидно заметил Алексей.

— А че, я все по делу сказал, — не обиделся Ромка.

— По делу, по делу. Но одно меня все же смущает: послать своего сына на такое?

— Есть люди, которые считают убийство нормальным актом. Вот именно такие, которых никогда не любили. Когда родители нянчатся с ребенком, он чувствует ценность своей жизни, что приводит его к пониманию ценности чужой жизни. И наоборот, когда ребенка швыряли об стены — ну, фигурально говоря, — то он и вырастает моральным уродом, — изрек Роман.

— Дело даже не в морали. А в том, что на мотоцикле легко самому разбиться. Он пытался сбить Донникова на проезжей части, когда академик переходил дорогу. Но Донникову удавалось вовремя отскочить назад, отчего мотоциклист мог врезаться в любую машину. И разбиться. Какая мать направила бы своего сына на столь опасное для его жизни дело?

— Па, она ведь может быть дурой, эта Юля, и не иметь никакого понятия, насколько опасно пытаться кого-то сбить на мотоцикле. И жадность ей глаза застит. Она и сыночку, наверное, пообещала в ближайшем будущем сладкую жизнь на деньги деда.

— Это все очень интересно, конечно. Только фактов у нас нет. Так, разговоры-разговорчики. Зато есть факт, что Донникову никогда не приходило в голову проверить свое отцовство. Строго говоря, он не знает, его ли дочь Юля. Прямо из этого факта ничего не вытекает, но... как бы сказать... Представьте, пацаны: идете вы по паркету и вдруг чувствуете по звуку под одной доской пустоту — там ниша. Из этого еще не следует, что в ней что-то лежит, ниша может оказаться пустой. Но проверить ее стоит.

— Ладно, я уже устал от ваших умных разговоров, — зевнул Роман. — Говори, что надо сделать, па.

— Вот адрес. Завтра с утра будьте на месте. Найдите способ увидеть в лицо Юлю и ее сына, у меня фотографий нет. Игорь, ты берешь на себя мать — просто следи, в контакт не вступай, смотри, куда она отправится, с кем встретится. Роман, ты за пацаном. Первым делом выясни, есть ли у него черно-красный мотоцикл. Марку мы не знаем, но впереди у него будто горб красный, как выразился свидетель.

— Так это, наверное, «Рейсер Скайвей»!

— Без разницы. Важно только одно: есть у него описанный мотоцикл или нет. Если получится, разговорись с ним. Следите оба до вечера. А к девяти сюда, ко мне, с отчетами. В течение всего дня я на связи.

Два дня спустя в подземелье академика собрались те же плюс Роман и Игорь.

— Вы сказали Олегу по телефону, что вам удалось... — пожимая руку Алексею, тревожно вглядывался в его глаза Евгений Дмитриевич, — удалось выяснить, кто...

— Да, — кивнул детектив. — Сейчас все расскажу. Позвольте сначала представить вам моего сына Романа. Он со мной, в принципе, не работает, но иногда помогает, как в вашем случае. Игорь, мой ассистент и коллега, в прошлый раз он здесь отсутствовал, хотя вашим делом занимается с самого начала. Я даже не знаю, с чего начать, столько информации...

— Да вы присаживайтесь, присаживайтесь! — засуетился Евгений Дмитриевич на радостях. — Машенька, сделай кофе! Или вам чаю? Просто не верится, что этот кошмар скоро закончится... А вы уверены, что нашли того человека? Ошибки быть не может?

В этот момент он был необыкновенно похож на свою дочь Машу: в чистых голубых глазах сияло столько надежды, что детектив умилился.

— Спасибо, но не будем отвлекаться на чай. Да, Евгений Дмитриевич, сомнений нет, вы сейчас сами во всем убедитесь. Начну, пожалуй, по хронологии. Как вы помните, в результате нашей прошлой с вами беседы многое стало указывать на Юлю. Но подозрения следовало проверить, и на следующий же день мои парни дежурили у подъезда Юли с утречка пораньше. Они подговорили какого-то пацаненка, маявшегося с мячом у подъезда в одиночестве, чтобы он указал им на Юлю и ее сына, как только они выйдут из подъезда. Пацаненку жизнь сразу показалась интересной — правда, это не помешало ему попросить триста рублей за услугу. О времена, о нравы. Мои ребята дали ему сто, он вполне удовлетворился.

Первой из подъезда вышла Юля, в восемь утра. Села в свой «Фольксваген» и отправилась на работу. Игорь за ней. Вы удивитесь, но она работает в вашем банке, «ТТТ». Хотя до недавнего времени она возглавляла какой-то отдел в местном отделении «Сбербанка», как вы и говорили. Эту информацию Роман позже получил от ее сына. И у меня такое чувство, что ее переход не случаен. Вы давно заглядывали в свои счета?

— Позавчера, сразу после разговора с вами.

— Деньги не пропали?

— Нет вроде.

— *Вроде*?

— Обычно я досконально проверяю зачисления — а то бывают такие «забывчивые» бухгалтерии, у которых мой гонорар залеживается. Но своим расходам я много внимания не уделяю: просто смотрю, нет ли чего необычного. Однако никаких больших сумм со счета не ушло с тех пор, как я купил Машеньке «Мини-Купер», а это было в мае, в середине месяца.

— Тем лучше. А Юля могла об этой покупке узнать?

— Я ей не говорил.

— Папа, она последний раз приезжала сюда через день после того, как ты купил мне машину. «Мини» стоял во дворе, даже не под навесом, а прямо посредине — там света больше, — и я изучала его приборную панель.

— Получается, что Юля перешла в банк «ТТТ» пару недель спустя после визита к вам, в конце мая. Видимо, ваш подарок Маше вызвал у нее жгучую зависть. И она действительно горела желанием то ли вам отомстить, то ли просто ограбить. Этого не проверить, но думается мне, Юля надеялась найти доступ к вашему счету. Однако не сумела. Что, в общем-то, нормально. Банковская компьютерная система защищает счета клиентов от в первую очередь собственных клерков. Так что если ваша дочь и намеревалась подобраться к вашим денежкам, то ей это не удалось.

— А ведь я ей немало денег давал!

— «Мини» порядка миллиона рублей, полагаю, стоит?

— Двух...

— Вот это и взбесило ее. Сколько бы вы ей ни давали, Маше все равно досталось — и всегда доставалось! — больше. А у завистливого человека арифметика специфическая: он не подсчитывает, что дают, — он подсчитывает, чего не дали.

— Верное наблюдение, — произнес Донников.

— Однако вернемся к теме, — продолжал детектив. — Игорь остался дежурить у входа в банк. А Роман все еще нес вахту у подъезда. Сын Юли появился на улице около десяти... Да, Ром?

— Па, давай я сам расскажу.

Алексей колебался. Роман, несмотря на утонченную внешность, унаследованную от матери, был воспитан работягами из техсервиса, и манеры его оставляли желать лучшего. С тех пор как он появился в жизни Алексея, они с Александрой его малость пообтесали, Роман многому научился — но так и не расстался со своей привычкой рубить правду-матку. Его увлечение психологией тоже не помогло. Наоборот: дав более глубокое понимание вещей, психология ничуть не повлияла на пристрастие Романа называть вещи своими именами, отчего он делал людям только больнее. Но сын был убежден, что хирургические методы успешнее массажа.

— Хорошо, — ответил Кис после некоторого колебания, — но только без экскурсов в психологию, пожалуйста.

Ромка в ответ только улыбнулся.

— Не знаю, учится ли ваш внук где-нибудь, — заговорил он, — но сейчас последние дни летних каникул, и у него уйма свободного времени. Которое он пытается провести интересно, как любой другой молодой парень. Женя... Его зовут так же, как и вас, вы знали? То есть Юля назвала его вашим именем. И у него такие же большие голубые глаза, как у Маши, между прочим. Он ей двоюродным братом приходится, да? Хотя нет, погодите... Маша, это твой племянник!

Девушка растерянно заморгала от неожиданности.

— Ромка! — тихо рыкнул Алексей, опасаясь, что сын опять углубится в психологические дебри.

Роман посмотрел на отца, потом на академика.

— Видите ли, Евгений Дмитриевич, — произнес он с улыбкой, — я увлекаюсь психологией. Поступил на психфак этим летом, но много читал самостоятельно и стал видеть вещи намного глубже... Папа не хочет, чтобы я делал комментарии по ходу изложения.

— Мне тоже кажется, что это лишнее, — вежливо ответил ему Донников.

— Разумеется. Буду излагать только факты. Но вы же понимаете, что если дочь демонстрирует ненависть к вам, но при этом называет сына в вашу честь, то там непаханое поле комплексов?

— Конечно, юноша. Я ведь медик.

— Итак, — одобрительно кивнул Роман, — Женя появился около десяти утра и встал у подъезда. Через несколько минут подъехал мотоцикл, — Ромка, как заправский рассказчик, выдержал небольшую паузу и обвел глазами слушателей. — Да, тот самый, черно-красный, на котором пытались сбить вас, Евгений Дмитриевич. А затем Машу. А если не тот самый, то точно такой же. Лица мотоциклиста я не видел в тот момент, он был в шлеме. Женя, однако, очень ему обрадовался. «Димон!» — завопил он и забрался на заднее сиденье. Димон привез его в парк — Юля живет в Измайлово, там и парк, — сгрузил возле площадки, где занимается секция тай-чи. А сам уехал. Я даже было в тот момент подумал, что Юля наняла этого парня как бебиситтера... Шутка. Я имел в виду, что этот мотоциклист со всей очевидностью не друг вашему внуку.

— И мотоцикл, — вступил Алексей, — принадлежит не Жене, как теперь понятно, а его приятелю Диме.

— Слава тебе, Господи! — пробормотал Олег.

— Я решил подобраться поближе к парнишке, — продолжал Роман, — и потому пристроился к занятиям по тай-чи... Мне кажется, папа, — повернулся Роман к Алексею, — что теперь лучше Игорю дорассказать свою часть.

— Не думаю, что это принципиально, но пусть будет так, — откликнулся Кис.

— Как тут уже было сказано, — Игорь откашлялся, — я следил за Юлей. Она поехала на работу в отделение банка «ТТТ». Я торчал у входа до шести — если у Юли и был перерыв, то она, видимо, перекусила на месте. Зато в шесть ко входу подкатил черно-красный мотоцикл. Номера мы с Ромкой сверили — это тот же, что отвозил Женю в парк. Когда Юля вышла с работы, мотоциклист снял шлем. Я его хорошо разглядел и сфотографировал, можете полюбоваться... — Роман включил свой телефон и протянул его академику. — Красивый парень, лет на пять-шесть старше Жени и лет на пятнадцать... или сколько там... моложе Юли. Они поцеловались, и она села позади него на мотоцикл...

— Не хочу никого обидеть... — произнес Донников, — но вряд ли нам нужны все эти подробности. Нельзя ли прямиком к делу?

Алексей видел: академик смущен, растерян. Ему вдруг принялись рассказывать о жизни дочери и внука, о которых он не хотел ничего знать. Вернее, Юля сделала все, чтобы он не знал, — но Евгения Дмитриевича такое положение дел вполне устраивало. И теперь проникновение в эту неизвестную ему доселе жизнь вызывало в нем не только растерянность, но раздражение, чувство вины, отторжение.

Хотя... тут ведь рядом Маша. Евгений Дмитриевич уже догадался, к чему клонится повествование сыщиков, и хочет пощадить ее нежные уши?

— Конечно, — ответил детектив. — А не хотите ли вы поговорить наедине?

— Да нет... — Донников посмотрел на дочку. — Машутка уже большая девочка и, главное, умненькая, при ней можно.

— Ладно, — не стал возражать Кис: он тоже считал, что Машутка умна не по годам, — тогда я сокращу историю до минимума. Парень на мотоцикле — любовник Юли. Несмотря на разницу в возрасте. Игорь это установил с точностью, и снимки есть в подтверждение, если что.

Донников быстро взглянул на дочку: в ее глазах сверкало любопытство. Ее ничего в этой истории не смущало — слава богу, новое поколение без предрассудков.

— Вернемся к вашему внуку Жене, — продолжил детектив. — Он разговорился с Романом. Точнее, Роман его разговорил.

— Паренек до дикости не уверен в себе и застенчив, — встрял знатный психолог Ромка. — Поэтому я легко нашел к нему подход. Как все страдающие от одиночества дети, он был рад вниманию и рассказал то, чего не следовало, поскольку мать не велела. По словам Жени, у него есть два дедушки. Один очень известный врач, академик, но видит его Женя исключительно по телевизору. Он не знает, отчего мать не хочет его знакомить с этим дедушкой — у них не близкие отношения, она не делится с ним рассказами о семье, — зато Женя всю жизнь получает от него подарки на дни рождения. Другой дедушка объявился недавно. Он тоже медик, но обычный, в районной поликлинике, к тому же почти всегда пьян. Зато этот дедушка часто их навещает и все время говорит, что он их с мамой очень любит.

Подарков он, правда, никому не дарит — наоборот, постоянно просит у Юли деньги.

— На опохмелку? — поморщился Донников.

— Не совсем. Как понял Роман...

— Па, — вклинился его сын, — я сам доскажу... Ваш внук, Евгений Дмитриевич, производит впечатление подростка, хотя ему уже девятнадцать исполнилось. Девятнадцать, а не двадцать, как вы думали. Он невысокого роста и довольно тщедушен, ему бы в спортзал походить, мышцы нарастить... Но несмотря на кажущуюся инфантильность, Женя весьма смышлен и наблюдателен. Что его мать, судя по всему, недооценила. Она не сумела скрыть от сына свои конфликтные отношения с недавно появившимся «новым дедушкой». Их ссоры были слишком шумными, и Женя понял, что этот человек заявляет об отцовских правах на Юлю.

— Она давно совершеннолетняя. Какие права хочет получить тот тип? Свидания по воскресеньям? — с иронией произнес Евгений Дмитриевич.

— Да нет же, — с досадой отозвался Роман. — Вы еще не поняли?

...Странно. Донников нравился Алексею — как и вся его семья, уж не говоря о Машеньке, — но у Ромки академик, похоже, вызывал только неприязнь. Непонятно, отчего он так окрысился на этого милого человека...

Болван! — вдруг припечатал сам себя Алексей. Ведь академик практически бросил свою дочь. А затем и внука. Мало ли что Юля не хотела мальчика показывать — Донников мог настоять. И должен был настоять! Так считает Ромка — сам брошенный отцом... Нет, не отцом, а тем человеком, которого он в детстве принимал за отца... что выяснилось значительно позже. Но травму своим предательством этот человек успел оставить в душе Романа огромную. Кровоточащую до сих пор. И теперь он видит семейную драму Донникова в свете своей собственной драмы. Предательство Донникова сгубило его дочь, а теперь и его внука — вот как расценивает Ромка сейчас эти факты из биографии академика.

Евгений Дмитриевич лишь поднял брови в ответ на реплику Романа. Их неприязнь была, очевидно, взаимной.

— Чего я не понял? — холодно переспросил академик.

— Этот «второй дедушка» шантажирует Юлю, — пояснил Ромка. — Угрожает рассказать вам, что она не ваша дочь, а его. Он — ровесник матери Юли и, значит, учился вместе с Инной в то же время, когда у вас с ней был... были... в общем, когда вы переспали с ней, будучи аспирантом. Но если этот пьяница — отец Юли и предъявит доказательства вам, то она лишится вашего наследства. По крайней мере, такую картину новоявленный папаша рисует ей. Женя слышал их разговор.

— Погодите, — проговорил академик, — этот человек доказал свое отцовство или нет?

— Он предъявил Юле лабораторный анализ, из которого следует, что она его дочь. И она, естественно, в его подлинности не усомнилась.

— При этом Юля знает, что завещание пока не написано. Следовательно, она все еще может получить хороший кусок наследства, — перенял эстафету Алексей, — пока ее папаша не настучал вам. Папаша-то вымогает деньги у нее — благо Юля действительно хорошо зарабатывает. Но Юлю такое положение дел не устраивало. И она решила...

— То есть Юля решила убить моего папу, чтобы поскорее получить от него деньги... Пока он не узнал, что Юля ему не дочь, и не лишил ее наследства... — подытожила Маша. — И подрядила на это своего любовника... Ну и дурдом!

Донников прикрыл глаза. Будто хотел отгородиться от всего услышанного. И Кис, который как раз собирался изложить следующую порцию информации, решил дать Евгению Дмитриевичу время прийти в себя.

Маша же сочла, что возникшую паузу следует разрядить приготовлением напитков.

Приняв из рук девушки чашечку с крепким кофе, Алексей заговорил вновь.

— Скажите-ка, в прошлый раз, когда мы с вами пили тут кофе, у вас чашка случаем не пропала? — поинтересовался он, глотнув кофейку.

— Пропала, — удивилась Маша. — Я никак не могла понять, куда я ее сунула.

— Ко мне в карман. То есть не ты, Маша, конечно, сунула туда чашку, а я сам.

— Зачем?! — изумилась девушка.

Вслед за ней и академик, и Олег широко раскрыли глаза с немым вопросом.

— Это была чашка Евгения Дмитриевича. На ней остались следы его слюны... То есть следы, годные для генетического анализа. Утром следующего дня Роман подобрал жвачку, которую выплюнул Женя. На ней тоже осталась его слюна.

Затем, улучив момент, Роман передал ее мне, а я отвез в лабораторию, где у меня есть хорошие знакомые, оба предмета. Кстати, вот ваша посуда, возвращаю, — детектив вытащил из портфеля изящную кофейную чашку в виде цветка лилии.

— И? — не выдержал Донников.

— И Юля ваша дочь. Женя — ваш внук. А тот хмырь — самозванец. И наглый шантажист. Справку из лаборатории наверняка подделал.

Не сказать, чтоб академик обрадовался этой новости. Для него она означала, что неприятности не закончились. Было бы куда проще отсечь от себя, от своей жизни Юлю и ее сына, коль скоро они не родные... Да не вышло.

— Алексей Андреевич, как же нам доказать все это в полиции? — спросила Маша. — Что Юля замыслила убийство и подрядила на это своего любовника. Ведь именно он покушался на папу, а потом на меня, теперь вы это точно установили!

— Боюсь, что никак.

— Прошу прощения? — Брови академика взметнулись чуть не до кромки волос. — А в чем тогда смысл вашего расследования?!

— Смысл?! — рассердился Алексей. — Вы в своем фальшивом письме, которое якобы принес голубь, просили дочку нанять детектива. С тем, чтобы детектив нашел того человека, который стоит за покушениями на вашу жизнь. Не так ли?

— Ну, — хмуро подтвердил Донников.

— Так мы нашли! В этом и заключается смысл. Есть мотив, который легко подтвердит ваш внук; есть снимки, подтверждающие любовную связь Юли с Димой, есть его адрес и фотографии мотоцикла. Однако в полицию с этим не пойдешь. Нет улик с места преступления. Нет очевидцев.

Мы можем сколько угодно рассказывать полиции о мотивах Юли, но они не послужат доказательством. А добровольно они не сознаются.

— А если подкупить Димона? За деньги он признается? Он ведь с Юлей из-за денег, так? А мы предложим больше, — высказался Донников.

— Нельзя исключить вариант, что Дима действительно в Юлю влюблен, — встрял вдруг Роман.

— Юля старше его лет на пятнадцать! — подала голос Машенька. — Вы сами сказали!

— Представь, детка, — снисходительно проговорил Ромка, — такое бывает. Юля еще молодая женщина и, к слову, вполне симпатичная. Портит ее угрюмое выражение лица, но оно, возможно, исчезает, когда она оказывается наедине со своим любовником? Или, напротив, ему именно такие женщины нравятся, тип «суровой начальницы». Кожаный корсет и хлыстик производят на некоторых весьма сильное впечатление...

— Прекратите! — крикнул академик. — Что за бред вы тут несете перед моей дочерью!

— Пап, ты что разнервничался? — удивилась Маша. — Неужели ты думаешь, что я про садомазо никогда не слышала?

— Евгений Дмитриевич, — миролюбиво произнес Алексей, желая положить конец зарождающейся ссоре. Нервы у академика на пределе, это понятно и простительно, и надо побыстрей нейтрализовать все эти негативные волны. — Ситуация возникла необычная, отчего и разрешить ее обычными методами невозможно.

— А что же тогда... Что нам делать? Не можем же мы с Машей прятаться в подземелье вечно?! — Донников снова сорвался на крик.

— Погодите, я же не поставил точку. Эту ситуацию можно разрешить иными, нестандартными методами. По крайней мере, мне так кажется. Если вы одобрите мою идею, то мы сможем все организовать в ближайшие дни. Обсудим?

Все невольно придвинулись к столу и принялись внимать словам Алексея Кисанова.

Он говорил минут двадцать и еще минут сорок отвечал на вопросы. Споров возникло немного — всем пришлась по душе идея детектива.

— Приступим прямо сегодня, — завершил дискуссию Алексей. — Время еще есть, ведь только начало пятого. Маша, ты прямо сейчас возвращаешься домой «от друзей». И сразу же позвони Пете с Люсей в Лондон: им нужно время, чтобы взять билеты. Роман, ты берешь на себя переговоры с Женей. Игорь, мы с тобой едем обрабатывать Димона. Ну а вы, Евгений Дмитриевич, пока ждите. Если у нас все получится, как задумано, то ваш «кошмар» очень скоро закончится!

Глава 12

СЕМЕЙНОЕ СОБРАНИЕ

Утром следующего дня у ворот поместья Донниковых объявился Женя. Привез его туда Роман, предварительно проведя долгую беседу с юношей.

— Давай звони, не робей. Тебя встретит Маша, мы обо всем договорились.

— Моя тетя?

— Тетя-мотя. Она моложе тебя, племянничек, я же тебе говорил. Сойдет за твою младшую сестренку.

— А ты со мной не пойдешь?

— Нет. У меня другие дела. Звони.

И Женя нажал на кнопку.

Пять минут спустя Маша водила Женю по дому за руку, представляя его членам семьи.

«Знакомься, бабуленька: это твой правнук! Наташа, иди сюда, познакомься со своим... упс, как это называется... внучатым племянником, что ли? Леночка, ты не знала, что у тебя есть внук? Ну, не совсем у тебя, это внук твоего мужа, но ты ему тоже вроде как бабушка, нет?»

Все, кроме Елизаветы Николаевны, подивились явлению Жени — точнее, самому его существованию. Он полностью выпал из сознания семьи Донниковых, никто из них, включая самого академика, даже имени его не знал.

— Где ты его нашла? — спросила Наташа, довольно бесцеремонно разглядывая юношу.

Маша в ответ наплела какую-то историю, как она познакомилась с Женей у друзей, а потом выяснилось, что он родственник.

Одна Елизавета Николаевна вспомнила про Юлю и поинтересовалась, не возражает ли она против визита юноши к Донниковым.

— Я совершеннолетний, — улыбнулся Женя, — в принципе, могу и не спрашивать. Но маме все равно. Она никогда на меня особо внимания не обращала. Она не виновата, она так воспитана, ее мама тоже не особо ею занималась.

— А в финансовом смысле у тебя как? — продолжала расспрашивать Елизавета Николаевна. — Мама тебя содержит? Ты учишься или работаешь?

— Ну, мама содержит, да... Мне много не нужно. Еда есть, одежда есть. А на карманные я сам зарабатываю. Я учусь на ветеринарном факультете.

— Ух ты! — восхитилась Маша. — Будешь лечить животных?

— Уже лечу. Помогаю одному ветеринару. Он мне платит небольшую зарплату.

— Тоже врачом, значит, станешь, — удовлетворенно кивнула Елизавета Николаевна. — Гены.

Маша тут же потащила Женю искать котенка Яську, чтобы получить профессиональное заключение о состоянии здоровья ее любимца, и вскоре по саду разносились их радостные голоса, которых обитатели поместья не слышали с тех пор, как похоронили Евгения Дмитриевича...

Они быстро нашли общий язык: разница в возрасте менее двух лет и то единство душ, которое иногда обеспечивают общие гены. К вечеру они уже резвились вовсю, словно брат с сестрой, — и домашние умилялись счастливому Машиному настроению, находя, что идея пригласить в дом Юлиного сына оказалась очень и очень удачной. Паренек понравился всем — и членам семьи, и персоналу. Он был похож лицом на Машеньку, по характеру добрый, только слишком застенчивый, — зато очень вежливый и деликатный. И когда на следующий день Маша объявила, что Женя немножко погостит у них в доме, все приняли эту идею благосклонно. Кроме Лены, конечно, которая воздевала руки к небу и вопрошала, на какие деньги Маша рассчитывает этого молодого человека содержать, когда им всем скоро придется идти по миру.

К вечеру в доме затрезвонил телефон, находившийся в гостиной. В последнее время он звонил крайне редко, поскольку каждый имел мобильный и общался со знакомыми и друзьями исключительно по нему.

Трубку сняла Наташа, находившаяся неподалеку. Послушав несколько секунд, она принялась громко звать Машу.

— Иди скорее, это тебя! Только человек плохо говорит по-русски, а я по-английски не говорю! Но он тебя просит к телефону, Маш! Да иди же ты скорее, что там возишься!

— Бегу, бегу, — пропела Маша, спускаясь с лестницы. — Кто это?

— Я ничего не поняла.

Заслышав громкие голоса, народ высыпал в гостиную и стал прислушиваться. Однако Маша говорила по-английски — только Лена понимала, о чем речь. И по мере разговора в лице ее нарастала тревога.

— Это... — она обвела глазами всех, — это нотариус! — шепотом произнесла она.

— Да, это был нотариус... — Маша положила трубку на место и повернулась к собравшимся. — Папа оставил завещание, оказывается, в Лондоне. Но юридически это ничего не меняет, так как действовать оно будет по русским законам. Он просит назначить ему дату: он приедет к нам, когда мы сможем собраться все вместе. Сам он уже в Москве.

— А что нам собираться? — раздраженно бросила Лена. — Мы и так тут все.

— Кроме Пети с Люсей, — напомнила Маша. — И с Юлей надо договориться. Она тоже должна присутствовать. Я немедленно звоню в Лондон!

Петя с Люсей уже взяли билеты, как их заранее просила Маша. Для них была заготовлена немножко другая версия, по которой нотариус объявился на день раньше: детектив рассудил, что таким образом у них будет запас времени, чтобы найти билеты. В конце лета российские граждане слетаются домой, везут детей в школы, и с местами на всех рейсах обычно напряженка.

— Завтра, — сообщила всем Маша. — Ребята прилетят завтра около полудня, они сразу же нашли билеты через Интернет. Я пошлю Сережу их встретить.

Оставалось пригласить Юлю. Маша попросила бабушку взять на себя этот труд.

— Хорошо, раз ты считаешь, что так будет лучше... Только сначала я поднимусь к себе.

Маша последовала за ней. Елизавета Николаевна устроилась в кресле и протянула внучке свой телефон. Маша набрала номер и вернула трубку бабушке.

Юля молчала довольно долго. Затем сообщила, что сможет быть у Донниковых не раньше восьми вечера. Маша закивала, давая понять, что надо соглашаться.

— Хорошо, Юля, мы попросим нотариуса приехать к восьми, — покладисто произнесла Елизавета Николаевна.

— Хотя нет, — передумала Юля. — Я отпрошусь с работы. Лучше к четырем.

Маша снова закивала.

— Ладно, пусть будет к четырем. Значит, завтра в шестнадцать ноль-ноль. Не опаздывай.

Елизавета Николаевна отключилась и посмотрела на внучку:

— Что с ней? Даже на Женечкиных похоронах у нее не было такого убитого голоса.

— Скоро все узнаем, бабуленька.

— Ох как глазенки у тебя блестят шкодливо... Что задумала, признавайся!

— Да ничего такого, — принялась отрицать Маша и вдруг подумала, что бабушку надо как-то подготовить к воскрешению из мертвых ее сына, не то сердце может не выдержать... — Ой, бабулечка, мне надо перезвонить нотариусу, сообщить ему время встречи, извини! Потом договорим...

Елизавета Николаевна только головой покачала вслед внучке. Ох и затейница у них выросла...

Спрятавшись подальше от посторонних ушей в своей комнате, девушка набрала номер Олега.

— Спроси папу, он врач, пусть скажет, как быть...

— Да тут и врача не надо, — ответил Олег, — всем известно, что от радости тоже вред здоровью может приключиться. Ты права, следует как-то бабушку подготовить. Но объясни ей хорошенько, что выдавать свои эмоции она не должна, иначе она весь наш план испортит.

— Не беспокойся.

Маша вернулась в апартаменты бабушки.

— Пойдем в сад, а? Погуляем. Ты слишком редко выходишь на воздух, бабуленька.

— Да у меня окна нараспашку целый день!

— Но надо же еще двигаться!

— Я двигаюсь, — указала Елизавета Николаевна на тренажер-велосипед в углу комнаты.

— Ну пойдем пройдемся, ну, пожалуйста! — канючила Маша.

Елизавета Николаевна посмотрела на внучку и согласилась.

— Помнишь, ты говорила, что папа тебе снится все время живой? — держа бабушку под ручку, вела беседу Маша, медленно прогуливаясь среди яблонь. — Мне тоже папа часто снится... Будто он не умер. Вот и этой ночью снова был сон, такой яркий!

— Мой сын не умер. Он просто уехал.

— Да, я тоже в это верю... А он вернется?

Елизавета Николаевна помедлила с ответом. Она отлично понимала, что сын погиб, — с головой у нее было все в порядке. Даже слишком. Лучше бы не понимала... Но она придумала себе эту иллюзию и старалась держаться за нее, иначе можно тронуться умом по-настоящему. Однако же внучка разговор этот не случайно завела. Что-то Маша собирается сказать ей, но пока ходит вокруг да около.

— Надеюсь на это, — осторожно произнесла она. — А ты как думаешь?

— Так же. Папа скоро вернется.

— Да? — Елизавета Николаевна остановилась и посмотрела на девушку.

— Он ведь просто уехал в командировку. А командировка — это туда и *обратно*.

— Ты хочешь свести старуху с ума? Или ты что-то знаешь... Твой папа... Он...

Она всматривалась в Машины глаза и вдруг отчетливо увидела в них «да».

— Разве такое может быть?.. — все еще не веря, спросила Елизавета Николаевна.

— Вот твои капельки, бабуленька, выпей.

— Маша, ответь мне!

— Сначала капельки.

— Маша!!!

Девушка заложила руки за спину, всем своим видом давая понять, что не сдвинется с места и ни слова не скажет, пока бабушка не примет лекарство. И от этого жеста, не дожидаясь слов и подтверждений, Елизавета Николаевна заплакала. Маша тут же вложила в ее ладонь бутылочку с уже отвинченной крышкой.

— Давай-ка капай на язык быстренько!

И, дождавшись пока бабушка заправится лекарством, произнесла как можно спокойней:

— Произошла ошибка, бабуленька. В машине был не папа.

Они гуляли по саду еще полчаса, Маша крепко держала бабушку под руку и тихим успокаивающим голосом рассказывала об «ошибке»... Но в ту часть плана, которая касалась Юли, она, разумеется, бабушку не посвятила. Ни к чему ей знать, как ее внучка пыталась убить ее сына.

В этот вечер, к удивлению домашних, Елизавета Николаевна спустилась ужинать на кухню. С ней пришла Анна Ивановна, Маша тоже подтянулась, за ней Женя. А там вдруг и все остальные набились на кухню. Вроде бы ничего не произошло, Елизавета Николаевна чувствовала себя отлично и свое появление объяснила тем, что надоело ей ужинать в одиночестве, — но отчего-то у всех возникло чувство тревоги... Скорее, радостной.

Многим в эту ночь оказалось трудно заснуть. В ожидании приезда заграничного нотариуса и небывалого сбора всей семьи (последний и единственный раз такой сбор произошел на похоронах) суеты и эмоций было предостаточно. А с утра пораньше Дина готовила комнаты для Люси и Пети, а Люба готовила еду на целую дивизию.

— Надеюсь, нотариусу комната не понадобится? Он не останется у нас ночевать? — тревожилась горничная.

— Нет, — отвечала Маша, — не волнуйся, Дин! И Юля у нас не останется!

— А друг Евгения Дмитриевича, как его, Алексей Константинович с сыном, не приедут? А то у меня комнат не хватит! Женя ведь у нас сейчас гостит.

— Да перестань ты беспокоиться, всем хватит комнат, что ты, в самом деле...

— А Евгения Дмитриевича комнату я никому не отдам, так и знай.

— Конечно же, не отдашь, Дин, ведь она папина!

Маша чуть не добавила: «И она ему самому понадобится!» Но сдержалась. Надо еще немножко потерпеть и не выдать своего потрясающего секрета — скоро все соберутся, совсем скоро.

Приехали Петя с Люсей, полчаса со всеми обнимались и целовались. Виделись всего-то чуть больше месяца назад, на похоронах Евгения Дмитриевича, — но, казалось, прошла вечность. Маша заметила, что у брата с сестрой на глазах стоят слезы, — мысль об оглашении завещания их совсем не радовала. «Ничего, ничего, еще немножко потерпите! — думала она. — Скоро плакать будете от радости, дорогие мои...»

Спустилась бабушка. На ней было потрясающее платье пепельного цвета с кружевами и с брошью на воротнике, и выглядела она как герцогиня. Найдя глазами Машеньку, Елизавета Николаевна едва заметно ей кивнула.

«Ай да бабуля, ай да суперстар, — подумала девушка. — Как держится! Обалдеть!»

Все постепенно рассаживались в гостиной. И когда приехала Юля, там свободного места не оказалось. Она вошла, ни с кем не поздоровалась, только бабушке холодно кивнула и встала на пороге.

— Женя, принеси маме стул с кухни, — крикнула Маша.

Юля обернулась, и у нее вытянулось лицо.

— Что ты здесь делаешь, Евгений?!

— Мама, неужели ты заметила, что меня нет дома? — с иронией произнес парнишка.

— Не смей так разговаривать с матерью! Спрашиваю еще раз: что ты тут делаешь?!

— Я тут — в гостях.

— Ты соображаешь, у кого ты в гостях?

— Конечно. Это мои родственники, — улыбнулся Женя.

— Эти люди тебе никто, заруби себе на носу. А мне ты солгал! Сказал, что останешься у друзей.

— Так у меня уже и друзья здесь завелись.

— Ты не должен был без моего разрешения сюда ехать!

— Я совершеннолетний, мама.

— Да как ты смеешь! Жалкий щенок, ты с кем разговариваешь!

«Ого, — подумала Маша. — Она еще хуже, чем я думала...»

Женя пожал плечами — было совершенно очевидно, что к разговорам подобного рода и в подобном тоне он давно привык, — и пошел за стулом. Принес, молча поставил у стенки и отошел к окну, присев на край широкого подоконника. Юля была в ярости, у нее подрагивал подбородок от невысказанных оскорблений в адрес сына, но она сдержалась. Если бы она могла отсюда уйти, то сделала бы это немедленно и дверью хлопнула бы так, что штукатурка бы посыпалась; но пропустить оглашение завещания она ни за что не хотела. Сколько бы отец ей ни оставил, она должна об этом узнать сегодня же. Хорошо бы побольше, конечно, но особо надеяться на это не приходилось с учетом их холодных отношений. Надо было Юле раньше сообразить и быть с отцом полюбезнее... Да только она не ожидала, что он напишет завещание. А теперь... Ну что ж, по крайней мере, вопрос закроется, и она отделается от этого пьяницы-шантажиста, своего настоящего отца. Жаль, что Донников так и не узнал, что Юля ему не дочь. Столько денег на нее потратил — и зря, ха-ха!

Мстительная улыбка тронула Юлины губы, но она поймала внимательный взгляд Елизаветы Николаевны. Осуждает, чертова старуха. В этом доме у Юли одни враги. Не зря она их всех так невзлюбила — они ведь, как оказалось, ей даже не родня!

А Женька, ишь, дрянь, прямо во вражеский стан затесался, в самую гущу! Уж он получит, когда придет домой...

— Уже четыре пятнадцать, — нервно проговорила Леночка. — Где же нотариус?

Маша, смотревшая в экран своего смартфона, подняла голову:

— Что? А, да... Сейчас...

Она напечатала короткое эсэмэс и выключила телефон.

Дверь в гостиную была закрыта — Маша специально за этим проследила, — и никто не мог видеть человека, вошедшего в холл.

— А как он в дом попадет, Федя-то тут сидит, с нами! — озадачилась Наташа. — Кто ему ворота откроет и двери?

— Не беспокойся, тетя. Я все предусмотрела.

Маша подошла к двери, приоткрыла ее немного. Бросила взгляд на бабушку: мол, будь готова. Затем выглянула в холл.

— Вот он и пришел, — сообщила она, обращаясь ко всем. — Заходи, папа, все тебя ждут!

И она распахнула дверь настежь.

«Что-о-о? *Папа*? Это шутка?» — на все лады зазвучали голоса.

Но тут же стихли.

В проеме двери появился Евгений Дмитриевич Донников.

Восклицания. Грохот стульев. Все, кроме Елизаветы Николаевны, вскочили со своих мест и замерли, не веря глазам своим. Потом все заговорили разом. Забасила Наташа, запищала Леночка, запричитали Дина с Любой, Люся с Петей обнялись и заплакали. Щеки Юли пошли красными пятнами. Федор, не в силах выдавить ни слова, хлопнул хозяина по плечу; Инга зашмыгала носом, утирая его платочком, Леонид загудел что-то неразборчивое; Васильич молча пожал академику руку; шофер Сергей бросился его обнимать. Женя, сидя на подоконнике, с живейшим интересом наблюдал за своими новыми родственниками.

Евгений Дмитриевич, отводя протянутые к нему руки, прошел к матери.

— Прости меня, мама. — И он опустился перед ней на колено.

Елизавета Николаевна молча обняла голову сына.

— Главное, что я дожила до этого дня, — произнесла она через некоторое время. — Этого могло и не случиться.

Академик поднялся.

— Знаю. И чувствую себя безумно виноватым... Хотя в случившемся моей вины нет. Обстоятельства сложились таким странным образом, что...

Все затаили дыхание. И услышали поразительную историю, которую потом долго еще пересказывали всем друзьям и знакомым.

— Как многие из вас заметили, у меня было плохое настроение до отъезда в Адыгею, — повествовал Евгений Дмитриевич. — Это связано с неприятностями на работе, которыми я грузить вас не стану. И я решил поехать отдохнуть к Алану — вы все его знаете, он гостил у нас не раз, и я к нему езжу практически каждый год. Там у нас все всегда происходит по одному сценарию: прогулки, пикники, шашлыки, хорошая компания и свежайший горный воздух. Алан очень гостеприимный человек, и я всегда устраиваю там «алаверды»: то есть приглашаю его с семьей и друзьями на пикник, который организовываю сам.

В тот день, когда я наметил свой пикник, я позаимствовал, как обычно, у Алана его «Ауди», чтобы съездить за продуктами в город, на рынок. Но неожиданно путь на горной дороге мне преградила машина. Это был внедорожник «Рено Дастер» с тонированными стеклами. Я сразу почувствовал неладное. Резко затормозил и попытался набрать номер Алана. Но не успел. Дверца «Рено» распахнулась, и человек в черной маске стремительно направился ко мне. В просвет открытой дверцы я успел заметить за рулем второго бандита, тоже в маске...

Алексей с Игорем расположились в холле на ступеньках лестницы и слушали рассказ академика: после явления отца Маша намеренно оставила дверь гостиной приоткрытой, как они договорились с самого начала.

Евгений Дмитриевич справлялся с ролью виртуозно, делая паузы в нужных местах и вздыхая время от времени. Не знай Кис с ассистентом правды, поверили бы ему безоглядно.

— Он ударил меня по голове, — продолжал академик, — вырвал телефон и вытащил из машины. Потом отволок к краю дороги и двинул мне под ребра ногой, сталкивая вниз... Я помню, как покатился по склону, все еще надеясь остаться в живых... Острые камни, которыми усеян склон, били меня в бока, ломали кости... Но я знал, что ниже пологий склон переходит в отвесный, — и там все, неминуемая смерть! Поэтому я пытался, превозмогая боль, за что-нибудь уцепиться... Как вдруг влетел головой в огромный валун, и... И все. Я потерял сознание.

Очнулся я в больничной палате. Как позже выяснилось, одна супружеская пара — местные жители — увидела меня, лежавшего без сознания на склоне, донесли до своей машины и привезли в село. К сожалению, оно находится с другой стороны горы, отчего Алан об этом не узнал. Там меня осмотрел местный врач и поместил в свою маленькую сельскую больничку. У меня оказалось несколько переломов, но доктор выходил меня. Тем не менее, когда я очнулся, возникла одна небольшая, но существенная проблема: я потерял память. Кратковременная амнезия. Больше месяца провел я в адыгейской деревне, не зная, кто я и откуда родом... У меня не оказалось при себе ни документов, ни телефона — все это осталось в «Ауди», — ничего, что могло бы дать подсказку. И все же в один прекрасный день память ко мне вернулась.

Тогда я и узнал, что, по мнению следствия, я сгорел дотла в рухнувшей в пропасть машине Алана. Что все считают меня погибшим и, более того, якобы мое тело переправили в Москву и с почестями похоронили...

Среди слушателей раздались сдавленные рыдания.

Кис посмотрел на Игоря.

— Классная беллетристика, — прошептал тот. — Я и сам почти плачу.

— Я хотел было сразу позвонить вам сюда, — продолжал Евгений Дмитриевич, — но испугался, что вы примете мой звонок за дурной розыгрыш. И решил сначала добраться до дома, а уж потом являться к вам, дорогие мои люди, на глаза. Сначала я незаметно пришел к отцу Нилу. Мы с ним посоветовались, как лучше обставить мое появление...

— И ты не нашел ничего умнее, чертяка, как посвятить Машку в эти дела! — сурово проговорила его сестра Наташа. — Она ж дитя еще, Женя!

— Такое дитя, которое даст фору многим взрослым, — возразил Донников. — Согласитесь, она отлично все организовала. Собрала всех, подготовила психологически к важному событию... Чтобы, не дай бог, никто тут в обморок не упал, — улыбнулся он, едва заметно подмигнув матери.

— Я не поняла, а где же нотариус? — громко и недовольно произнесла Юля.

— Не поняла? — удивилась Маша. — Нотариуса нет. И потом, зачем нам нотариус, если папа жив? Это был всего лишь предлог, чтобы собрать всю семью. О том, что папа жив, все должны были узнать одновременно. Иначе бы первые, кто об этом узнал, стали звонить остальным, и к концу дня информация обросла бы домыслами и деформировалась до неузнаваемости.

— То есть ты меня обманула?! — В голосе Юли звенела ненависть.

— Если угодно, да. Но в таком случае я обманула всех. Собственно, это был не обман, Юля, — это был предлог.

— Мне до других дела нет!

— Да ради бога, — пожала плечами Маша.

— И что, завещания тоже не существует? — Юлю вдруг охватила надежда: еще не все потеряно! Донников жив и, если повезет, завещание так и не напишет... А папашу родного надо просто убрать с дороги. Он алкаш, его сбить на мотоцикле — да хоть на велосипеде — легче легкого!

— Юля, Юля, — проговорила Елизавета Николаевна с упреком, — да ты в своем ли уме, деточка? Твой отец оказался жив, на радость всем, а ты его уже снова хоронишь, завещанием интересуешься? Тебе не стыдно?

— Вы тут все ханжи! — выкрикнула Юля. — Вы все делаете вид, что такие возвышенные, а на самом деле всех вас тоже интересуют деньги!!! И только деньги!!!

— Деньги действительно интересуют всех, как же иначе, — согласилась бабушка, — ведь на них люди живут. И чем больше денег, тем лучше живут, отчего и интерес к ним понятен. Но в чем ты ошибаешься, так это в приоритетах. Сначала любовь — матери к сыну, дочери к отцу, жены к мужу и так далее. А деньги — они потом.

— Да ладно лапшу мне на уши развешивать!

— А кого ты любила, Юля, чтобы судить об этом? — неожиданно произнес Евгений Дмитриевич. — Кого? Сына? Свою мать?

— А чего мне ее любить, если она всю жизнь на мне отыгрывалась за то, что ты ее бросил, *папаша*?!

— Женя не бросал твою мать, — возмутилась Елизавета Николаевна, — потому что никогда ей ничего не обещал! И у нее не просил! Ни ее любви, ни секса, ни семьи, ни ребенка!

— Сто-о-оп! — вдруг гневно прокричала Маша, перекрыв базар. — Мы все хотим услышать, что случилось с папой! Мы его похоронили месяц назад! В настоящем гробу и в настоящей могиле! Мы все страдали! А ты — о чем ты тут разговор ведешь, Юля?

— Да мне плевать на гроб с могилой! Я хотела узнать о завещании, но раз его нет, то жуйте здесь сами свои сопли!

Она вскочила и направилась к двери.

— Почему же, — произнес академик, — завещание есть. Я его написал. И тебе, Юля, я...

— Хватит! — перебила его Маша. — Юля, сядь на место. Или уходи, как хочешь. Но не мешай. Мы все хотим узнать, что случилось дальше. Как так вышло, что мы похоронили папу... То есть не папу, а... Кого?!

Юля села на место. Видимо, слова отца о том, что завещание все-таки написано, ее удержали.

— Пап, так что же случилось? Почему все решили, что ты погиб?

— Когда я заявил местным органам, что я жив, они еще раз провели экспертизу и пришли к заключению, что в «Ауди» сгорел похититель. Он не справился с управлением украденной машины и рухнул в пропасть. Обгоревший остов «Ауди», как и труп грабителя, вскоре нашли и ошибочно приняли его за меня... Я настоял на том, чтобы информация не сразу попала в прессу, а сам первым же рейсом вернулся сюда, к вам.

Домочадцы снова взволнованно зашумели, а Юля, поняв, что ничего важного для себя она уже не услышит, выскочила из гостиной и направилась ко входной двери.

— Женя, — крикнула она в дверях, — за мной! Мы уезжаем!

— Я останусь здесь, мама, — твердо проговорил Женя.

Настолько твердо, что Юля поняла: сын окончательно ушел во вражий лагерь. Она его потеряла. Хоть и невелика, конечно, потеря...

Что-то болезненно сжалось внутри. Но Юля привычно прогнала спазм, который вызывал сожаления. Никаких сожалений — вот ее девиз!

И она ходко направилась к огромным входным дверям. Долой их всех, этих Донниковых! Долой с глаз, долой из сердца — забыть о них, будто никогда и не было!

Однако путь ей преградили Алексей с Игорем.

— Надо поговорить, — произнес Алексей. — Пройдемте в кабинет.

— Вы кто?!

— Частный детектив Алексей Кисанов. Это мой ассистент Игорь Крымов.

— С какой стати я должна куда-то идти?!

— Мы знаем, что вы наняли человека для убийства вашего отца.

— Он мне не отец, ха-ха!

— Отец. А тот, кто уверил вас в обратном, — мошенник. У него поддельная справка о генетическом анализе. Можете гнать его взашей.

— Откуда... откуда вы знаете?!

— Юля, пройдемте в кабинет. Сейчас люди начнут выходить из гостиной... Вы хотите, чтобы они увидели, как мы вас допрашиваем?

Разумеется, сыщики блефовали, приравнивая свой статус к органам дознания, — в надежде, что Юля не просечет. И она, похоже, не просекала.

Они поднялись по лестнице в кабинет академика. Кис указал Юле на стул, они с Игорем тоже устроились у письменного стола.

— Мы провели свой анализ. И он показал, что вы с Донниковым родственники.

— Так может, это у вас результат поддельный!

Алексей с Игорем переглянулись. У этой женщины, казалось, мозг одет в броню... *комплексов*, как сказал бы Ромка, будь он тут. А через броню реальность плоховато воспринимается.

— Послушайте, Юля. Следствию совсем не важно, родственники вы или нет. Следствию важно, что вы заказали убийство академика Донникова, отец он вам или чужой дядя. И для этого подрядили своего любовника Диму. У него имеется мотоцикл... — Алексей назвал марку и номер, — на котором он дважды пытался наехать на Евгения Дмитриевича. Затем Дима засветился в институте, где пытался скинуть вашего отца через перила, и еще раз в переговорах с Лидией. К слову, нам известны имя и адрес мужчины, который намеревался забить вашего отца до смерти. И его тоже нанял Дима. А четыре дня назад Дима попытался сбить насмерть Машу. Тоже по вашему заказу.

— Да ну?! Что еще за сказки про белого бычка?

— Ну, давайте глянем, что тут у нас за сказки... Смотрите, вот фотографии, — Кис показал ей снимки в телефоне. — А вот это написал Дима. — Алексей придвинул к Юле пару рукописных листков. — Его чистосердечное признание. Узнаете подпись?

— Нет, не может быть... — Юля схватила листки и принялась жадно читать текст. — Это фальсификация, Дима не мог такое написать!

— Почему же? — удивился Кис.

— Потому что он... Он меня...

— Любит, вы это хотели сказать? Но вы ведь сами каких-то полчаса назад утверждали, что разговоры про любовь что-то вроде лапши на ушах. А главное бабки, не так ли? Ну, прямо в соответствии с вашей философией мы Димона перекупили. Заплатили кругленькую сумму и получили его показания. Правда, мы обещали не давать делу ход, а использовать его показания против вас исключительно в том случае, если вы снова попытаетесь причинить вред своему отцу или его близким. Сам Дима рискует немногим: не он инициатор убийства — это раз; у него не имелось корыстных целей, поскольку вы ему за «работу» не платили, только обещали красивую жизнь после получения наследства — это два; убийство не состоялось, речь может идти только о покушении — это три. И он написал чистосердечное признание, что всегда смягчает наказание, — это четыре. Если его и приговорят к тюремному заключению, то небольшому — тогда как деньги от нас он получил большие...

Деньги, разумеется, дал Донников, но детектив предпочел употребить безликое «от нас», чтобы не спровоцировать новую волну зависти и ненависти у его дочери.

— Что же до вас, Юлия Евгеньевна, — продолжал Кис, — мотива у вас больше не имеется... Евгений Дмитриевич, вы тут? — повысил он голос.

— Да, — донеслось из-за двери.

— Заходите. Вы, Юля, все это провернули в надежде на кусок имущества Евгения Дмитриевича, верно? Полагая, что завещания нет, а по закону вы получите приличную часть. Так вот, теперь можете не трудиться.

— Завещание есть. Я написал его вчера, — вошел в кабинет Донников. — И полностью лишил тебя наследства. Я виноват, наверное, что не забрал живой сверточек тогда, когда твоя мать подкинула мне его на порог. Воспитай тебя я, вероятно, выросла бы ты другим человеком. Но я сам был в ту пору пацаном... Впрочем, не буду оправдываться. Что вышло, то и вышло. А вышла дрянь.

В глазах Юли сверкала такая злоба, что Кис диву давался: откуда? От матери, вырастившей девочку в атмосфере ненависти к мужчине, ускользнувшему из ее хищных рук?

— Теперь ты ничего не выиграешь в случае моей смерти, — продолжал Евгений Дмитриевич. — Однако если в твою дурную голову снова стукнет идея избавиться от меня или кого-то из моих близких, то сразу всплывет признание твоего любовника. Хотя больше он тебе любовником не будет, без сомнения... И ты пойдешь под суд и в тюрьму как заказчик убийства из корыстных побуждений, а это серьезная статья. Исчезни из нашей жизни, Юля. Причем бесследно.

— Сначала я заберу своего сына!

— Нет, Юля, ты его потеряла. Теперь мальчуган наш, донниковский. Ему с нами хорошо, весело, интересно, уютно. А как с ним обращаешься ты, мы все слышали... Уходи. Тебя здесь никто не хочет больше видеть.

Юля уехала. Домашние потихоньку оправились от шока и стали расходиться по своим комнатам. Лена повисла на руке у Евгения Дмитриевича, как верная жена. Алексей с Игорем засобирались домой.

Проводить их вышли академик, Олег и Маша. Пожимали руки, благодарили. Оплату услуг детективов взял на себя Донников, пообещав банковский перевод.

Все уже были готовы разойтись в разные стороны, как вдруг Маша поймала ладонь Игоря.

— Мы еще увидимся? — тихо спросила девушка.

Вечер выдался свежим — неудивительно, осень, хоть и незаметно, уже наступила, покрыла холодной росой траву, побежала холодным ветерком по листве — и Маша кутала плечи в большой клетчатый платок.

— Если тебе что-то понадобится, Машенька, — неважно что, совет, помощь или просто поболтать, то ты только скажи, я обязательно приеду, — ответил Игорь. — Но в ближайшие пару недель меня не будет в Москве.

Он умолк, Маша смотрела вопросительно.

— Моя девушка получила грант в Монреальском университете... Я еду ее сопроводить на первых порах, помочь ей обустроиться на новом месте, — пояснил он.

— О, Монреаль! Красивый город, — проговорил детектив, делая вид, что ничего, кроме последней фразы, не слышал. — А осень в Канаде — загляденье. Вот уж где настоящее «очей очарованье»! Как там дальше? «В багрец и золото одетые леса...»

Маша быстро поцеловала Игоря в щеку и ушла в дом, не обернувшись.

Глава 13

ГОЛУБЬ С АЖУРНЫМ ХВОСТОМ

— Алеш, Алеша, просыпайся! — проворковала над его ухом Александра. — Милый, уже одиннадцать.

Алексей с трудом продрал глаза. За последние дни набрался капитальный недосып, и он все никак не мог отоспаться.

Полусонный, он добрался до кухни, мечтая о чашке хорошего кофе. Оная чашка уже ждала его на столе — Сашенька постаралась.

Кис глотнул божественного напитка и ткнул пальцем в пульт. Он любил послушать новости по пробуждении. Телевизор наконец рассиялся.

«...поразительная история возрождения из пепла, — вещала дикторша, приятная молодая женщина. — Как рассказал директор Заповедника здоровья, академик Евгений Дмитриевич Донников, на него напали в Адыгее, где он отдыхал у своего друга...»

Алексей уменьшил громкость. *Эту* историю он уже знал — но, в отличие от остальных, он знал и настоящую.

«...Я очнулся в больничной палате... — все же доносилось до слуха Алексея. — Как позже выяснилось, местные жители, супруги Мариет и Азмет, увидели меня, лежавшего без сознания на склоне, дотащили до своей машины и привезли в свое село, где меня осмотрел местный врач. У меня оказалось несколько переломов, но врач Адам Бекух, сельский доктор, выходил меня. Я чрезвычайно благодарен всем этим добрым людям, заботившимся обо мне больше месяца», — говорил академик мягко и проникновенно.

Ого, для официального заявления история обросла именами! Придающими ей основательность и абсолютную достоверность...

Кис нажал на кнопку, экран погас. За последнее время норма лжи, которую его душа способна переварить, была изрядно превышена.

Дети появились на кухне. «Папа, папочка!»

Как он любил эти голосочки, эти махонькие тельца, эти глазоньки, смотревшие на него с любовью и абсолютным, безграничным доверием...

— А знаете, куда мы сегодня пойдем? — спросил он, переводя взгляд с одного ясного личика на другое.

— Куда, папочка? — спросил Кирюша.

— А я знаю, куда! — заявила Лизанька. — В кино, да, пап? — попыталась угадать маленькая всезнайка.

Алексей добродушно усмехнулся, вспомнив Машеньку Донникову.

— Мы пойдем... В цирк!

Детки радостно заверещали.

— И знаете, что мы там увидим? Дрессированных голубей! Да не простых, а с ажурными хвостами!

— А что такое *сажурными*? — поднял бровки Кирюша.

— «С» отдельно, а само слово произносится

«ажурный». Ажурная, ажурные, ажурными. Это как кружево.

— Как на моем платьице?

— Как на твоем платьице, милая, — кивнула Александра, вернувшись на кухню. — Алеш, сделать тебе еще кофе?

Она наклонилась к мужу и поцеловала его в макушку. Они соскучились друг по другу, Алексей в последние дни мало бывал дома...

Кирюша подсунулся к папе под правую руку, Лизанька под левую, и он подумал, что большего счастья в жизни познать не дано.

Оглавление

Литературно-художественное издание

ДЕТЕКТИВ КАК ИСКУССТВО. РОМАНЫ Т. ГАРМАШ-РОФФЕ

Гармаш-Роффе Татьяна Владимировна

ЗАВЕЩАНИЕ С ТОГО СВЕТА

Ответственный редактор *О. Рубис*
Редактор *Т. Другова*
Художественный редактор *С. Груздев*
Технический редактор *О. Лёвкин*
Компьютерная верстка *О. Шувалова*
Корректор *Е. Родишевская*

ООО «Издательство «Э»
123308, Москва, ул. Зорге, д. 1. Тел. 8 (495) 411-68-86.

Өндіруші: «Э» АҚБ Баспасы, 123308, Мәскеу, Ресей, Зорге көшесі, 1 үй.
Тел. 8 (495) 411-68-86.
Тауар белгісі: «Э»
Қазақстан Республикасында дистрибьютор және өнім бойынша арыз-талаптарды қабылдаушының өкілі «РДЦ-Алматы» ЖШС, Алматы қ., Домбровский көш., 3«а», литер Б, офис 1.
Тел.: 8 (727) 251-59-89/90/91/92, факс: 8 (727) 251 58 12 вн. 107.
Өнімнің жарамдылық мерзімі шектелмеген.
Сертификация туралы ақпарат сайтта Өндіруші «Э»

Сведения о подтверждении соответствия издания согласно законодательству РФ о техническом регулировании можно получить на сайте Издательства «Э»

Өндірген мемлекет: Ресей
Сертификация қарастырылмаған

Подписано в печать 01.03.2016. Формат 84x108 $^{1}/_{32}$.
Гарнитура «Newton». Печать офсетная. Усл. печ. л. 16,8.
Тираж 10000 экз. Заказ № 383.

Отпечатано в ООО «Тульская типография».
300026, г. Тула, пр. Ленина, 109.

ISBN 978-5-699-87663-1

ТАТЬЯНА УСТИНОВА
РЕКОМЕНДУЕТ
Мария
Очаковская
ПОРТРЕТ
С ОДНОЙ
НЕИЗВЕСТНОЙ

ТАТЬЯНА УСТИНОВА
РЕКОМЕНДУЕТ
Екатерина
Островская
ЖЕЛАТЬ
НЕВОЗМОЖНОГО

ТАТЬЯНА УСТИНОВА
РЕКОМЕНДУЕТ
Екатерина
Островская
ТЕМНИЦА
ТИХОГО АНГЕЛА

0000-069